D0539910

UNION GENERALE D'EDITIONS
8, rue Garancière — Paris VIe

Du même auteur
dans la même série

Assassins et poètes, n° 1715.
Le Collier de la Princesse, n° 1688.
L'Enigme du clou chinois, n° 1723.
Le Fantôme du Temple, n° 1741.
Meurtre à Canton, n° 1558.
Meurtre sur un bateau-de-fleurs, n° 1632.
Le Monastère hanté, n° 1633.
Le Motif du Saule, n° 1591.
Le Mystère du Labyrinthe, n° 1673.
Le Paravent de laque, n° 1620.
Le Pavillon rouge, n° 1579.
La Perle de l'Empereur, n° 1580.
Le Squelette sous cloche, n° 1621.
Trafic d'or sous les Tang, n° 1619.

LE SINGE
ET LE TIGRE

PAR

ROBERT VAN GULIK

Traduit de l'anglais
par Anne KRIEF

*Avec huit illustrations de l'auteur
dans le style chinois*

INEDIT

*Série « Grands Détectives »
dirigée par Jean-Claude Zylberstein*

Titre original :
The Monkey and the Tiger

Sur la carte du zodiaque chinois, où le sud est toujours placé en haut, le singe et le tigre sont représentés à leur place exacte, tandis que les autres animaux sont simplement symbolisés par un idéogramme. Le cycle complet, les « Douze troncs célestes », est constitué : 1. du Rat (le Bélier), 2. de la Vache (le Taureau), 3. du Tigre (les Gémeaux), 4. du Lièvre (le Cancer), 5. du Dragon (le Lion), 6. du Serpent (la Vierge), 7. du Cheval (la Balance), 8. du Mouton (le Scorpion), 9. du Singe (le Sagittaire), 10. du Coq (le Capricorne), 11. du Chien (le Verseau) et 12. du Cochon (les Poissons). Ce cycle correspond également aux vingt-quatre heures d'une journée : le Rat couvre la portion de 11 h à 13 h, la Vache de 13 h à 15 h, et ainsi de suite.

Il existe une autre suite cyclique, non représentée ici, les « Dix branches terrestres », correspondant aux cinq éléments et aux cinq planètes ; à savoir I. *chia*, II. *yi* (le bois et Jupiter), III. *ping*, IV. *ting* (le feu et Mars), V. *mou*, VI. *chi* (la terre et Saturne), VII. *keng*, VIII. *hsin* (le métal et Vénus), IX. *jen*, X. *kouei* (l'eau et Mercure). Les douze « troncs » combinés avec les dix « branches » forment un cycle sexagésimal : I-1, II-2, III-3, IV-4, V-5, VI-6, VII-7, VIII-8, IX-9, X-10, I-11, II-12, III-1, IV-2, et ainsi de suite jusqu'à X-12. Ce cycle de soixante doubles signes est la base de la chronologie chinoise. Six cycles correspondent aux 360 jours de l'année (tropicale) et aux douze mois lunaires, ainsi qu'aux années elles-mêmes, par suites répétées de soixante. L'année 1900 était l'année du Rat : VII-1, et nous sommes actuellement dans le cycle commencé en 1924 avec l'année du Rat I-1 ; ce cycle particulier prend fin en 1984. Cette année-ci, 1965, est l'année du Serpent II-6, 1966 sera celle du Cheval III-7.

L'octogone placé au centre du zodiaque est expliqué dans la postface.

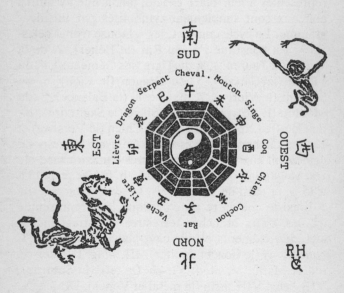

LES PERSONNAGES

*Rappelons qu'en chinois, le nom de famille
(imprimé ici en majuscules)
précède toujours le nom personnel.*

Le Matin du Singe :

TI Jen-tsie
Magistrat de Han-yuan, en 666.

TAO Gan
l'un de ses lieutenants.

WANG
un apothicaire.

LENG
un prêteur sur gages.

SENG Kiou
un vagabond.

Mademoiselle SENG
sa sœur.

TCHANG
un autre vagabond.

La Nuit du Tigre :

TI Jen-tsie
*le Magistrat en route de Pei-tcheou
vers la capitale, en 676.*

MIN Liang
riche propriétaire terrien.

MING Ki-you
sa fille.

Monsieur MIN
son frère cadet, marchand de thé.

YEN Yuan
Régisseur du domaine de Min.

LIAO
l'intendant.

Aster
une servante.

LE MATIN
DU SINGE

Ce livre est dédié à la mémoire de mon excellent ami le gibbon Bubu, mort à Port Dickson, Malaisie, le 12 juin 1962.

Le juge Ti savourait la fraîcheur de ce matin d'été sur la terrasse bâtie à l'arrière de sa résidence officielle. Il venait de terminer son petit déjeuner, à l'intérieur, en compagnie de sa famille, et buvait à présent son thé, seul, ainsi qu'il en avait pris l'habitude depuis un an qu'il était en poste dans le district de Han-yuan (1). Il avait approché sa chaise en rotin de la balustrade de marbre ouvragé. Tout en caressant lentement sa longue barbe noire, il contemplait avec un visible bonheur les grands arbres et la végétation touffue de la montagne, qui formaient devant la terrasse un mur protecteur de fraîche verdure. L'incessant piaillement des oiseaux, le murmure lointain de la cascade... Quel dommage, pensa-t-il, que ces moments de détente et de quiétude soient si courts. Il allait devoir se rendre au greffe pour y prendre connaissance du courrier administratif.

On entendit soudain un bruissement de feuilles et de branches cassées. Deux silhouettes noires et velues surgirent du haut des arbres, passant d'une

(1) C'est dans ce district que le juge Ti démêla l'affaire du *Meurtre sur un bateau-de-fleurs*, Coll. 10/18, n° 1632.

13

branche à l'autre en se balançant au bout de leurs longs bras fuselés, faisant tomber une pluie de feuilles sur leur passage. Souriant, le juge Ti suivit du regard les évolutions des gibbons. Il ne se lassait jamais d'admirer leur grâce et leur souplesse. Aussi farouches fussent-ils, les gibbons de la montagne s'étaient habitués à la présence de ce personnage solitaire, assis là tous les matins. Parfois, l'un d'eux s'arrêtait un bref instant et attrapait au vol la banane que lui jetait le juge Ti.

Un nouveau bruissement, un autre gibbon. Il se déplaçait lentement, s'aidant d'un seul bras et de son pied prenant. Il tenait un petit objet dans la main gauche. Le gibbon s'arrêta devant la terrasse et, perché sur une branche basse, regarda le juge Ti d'un air curieux, posant sur lui des yeux bruns et ronds. Le magistrat distinguait à présent ce que l'animal cachait dans la main : une bague en or, ornée d'une grosse pierre verte chatoyante. Il savait que les gibbons adoraient voler les objets de petite taille qui leur plaisaient ; leur intérêt d'ailleurs était de courte durée, surtout s'ils s'apercevaient qu'il ne s'agissait de rien de comestible. Si le juge ne parvenait pas à lui faire lâcher la bague immédiatement, le singe la jetterait n'importe où dans la forêt, et son proprié-taire ne la reverrait jamais.

N'ayant pas de fruit à portée de la main pour détourner l'attention du gibbon, le juge s'empressa de sortir de sa manche une petite boîte qu'il renversa sur la table à thé. Puis il en examina et renifla chaque objet. Il vit du coin de l'œil que le gibbon l'observait attentivement. Tout à coup, il laissa tomber la bague, s'élança vers la branche la plus basse et s'y suspendit, suivant tous les gestes du juge Ti avec la plus grande curiosité. Le magistrat remarqua que quelques brins

Le juge Ti vit que le gibbon l'observait.

de paille parsemaient la fourrure noire du gibbon. Il ne pouvait retenir plus longtemps l'attention du capricieux animal. Après l'avoir gratifié d'un amical « wak, wak ! », le grand singe s'élança vers la cime de l'arbre et disparut dans le feuillage.

Le juge Ti enjamba la balustrade et fit quelques pas sur les rochers moussus, au pied de la montagne. Il ne tarda pas à apercevoir la bague chatoyante. Il la ramassa et regagna la terrasse. Il s'agissait apparemment d'une bague d'homme, formée de deux dragons entrelacés en or massif ; quant à l'émeraude, elle était étonnamment grosse et d'excellente qualité. Le propriétaire de ce précieux bijou ancien allait être heureux de rentrer en sa possession. Alors qu'il s'apprêtait à glisser la bague dans sa manche, son regard fut attiré par des taches brunes. Fronçant ses épais sourcils, il examina l'objet de plus près : les traces ressemblaient fort à du sang séché.

Le juge se retourna et frappa dans ses mains. Le vieil intendant de la maison apparut en traînant les pieds.

— Y a-t-il des maisons dans la montagne ? demanda le juge.

— Non, Votre Excellence, il n'y en a aucune. La pente est beaucoup trop raide et entièrement recouverte par la forêt. Il y a toutefois quelques maisons de campagne sur la crête.

— En effet, je me rappelle les avoir vues. Saurais-tu par hasard qui y habite ?

— Eh bien, Excellence, il y a Leng, le prêteur sur gages. Et l'apothicaire Wang, également.

— Leng, ce nom ne me dit rien. Et Wang, as-tu dit ? Tu veux peut-être parler du propriétaire de la grande pharmacie de la place du marché, en face du temple de Confucius ? Un petit homme vif, à l'air perpétuellement soucieux ?

— Oui, c'est cela, Excellence. Il a de bonnes raisons pour avoir l'air soucieux. J'ai entendu dire que son commerce ne marchait pas très bien cette année. En outre, son fils unique est un débile mental. Il va avoir vingt ans et ne sait toujours ni lire ni écrire. Je me demande ce qu'un garçon pareil peut devenir...

Le juge Ti hocha la tête d'un air absent. Les maisons de campagne sur la crête étaient à écarter, car les gibbons sont trop farouches pour s'aventurer dans une zone habitée. L'animal aurait évidemment pu ramasser la bague dans un coin retiré de l'un des grands jardins, là-haut. Mais il l'aurait jetée bien avant d'avoir traversé la forêt et d'être parvenu au pied de la montagne. Le gibbon avait dû trouver la bague beaucoup plus bas.

Le juge Ti renvoya l'intendant et réexamina la bague. Le chatoiement de l'émeraude semblait avoir soudain perdu toute intensité ; on eût dit un œil sombre qui le fixait lugubrement. Contrarié par sa déconvenue, le juge fit disparaître la bague dans sa manche. Il ferait placarder un avis décrivant le bijou avec précision ; ainsi le propriétaire se présenterait au tribunal et l'affaire serait réglée. Le juge rentra et traversa la résidence jusqu'à son jardin personnel, et de là gagna la grande cour centrale du yamen.

Il y faisait bon, car les bâtiments qui entouraient la cour la protégeaient du soleil matinal. Le chef des sbires était occupé à inspecter l'équipement de ses hommes, en rang au milieu de la cour. Tous se mirent au garde-à-vous en voyant approcher le magistrat. Le juge Ti s'apprêtait à les dépasser pour se diriger droit vers le tribunal quand il se ravisa soudain et s'arrêta.

— Sais-tu s'il existe un endroit habité, dans la montagne, derrière le yamen ? demanda-t-il au chef des sbires.

— Non, Votre Honneur, il n'y a pas de maisons, que je sache. Mais à mi-pente, il y a une hutte, une petite cabane en rondins qui servait autrefois à un bûcheron. Il n'y vient plus personne depuis longtemps.

Puis il ajouta d'un ton important :

— Les vagabonds y passent souvent la nuit, Excellence. C'est pourquoi je m'y rends régulièrement, pour m'assurer que tout va bien.

Cela pourrait convenir, une cabane isolée...

— Qu'entends-tu par régulièrement ? demanda brusquement le juge.

— Eh bien, je veux dire... toutes les cinq ou six semaines, Excellence. Je...

— N'appelle pas ça régulièrement ! coupa sèchement le magistrat. J'exige que tu...

Le juge laissa sa phrase en suspens. Il s'égarait. Une impression vague et désagréable ne devait pas suffire à lui faire perdre patience. Sa bonne humeur avait probablement été entamée par les mets épicés qu'il avait le plus grand mal à digérer. Il avait tort de manger de la viande avec le riz du matin...

— A combien d'ici se trouve cette cabane ? s'enquit-il auprès du chef des sbires d'un ton beaucoup plus amène.

— A un quart d'heure de marche, Excellence, en passant par l'étroit sentier qui monte dans la montagne.

— Parfait. Appelle Tao Gan !

Le chef des sbires courut au tribunal et revint accompagné d'un individu maigre, d'un certain âge, vêtu d'une longue robe de coton bleu passé, la tête

18

couverte d'un haut bonnet carré de gaze noire. Il avait un visage long et mélancolique, à la moustache tombante et à la mince barbiche, une verrue ornée de trois longs poils sur la joue gauche. Après que Tao Gan lui eut souhaité le bonjour, le juge Ti conduisit son lieutenant vers un coin de la cour, où il lui montra la bague et lui expliqua comment il l'avait trouvée.

— Tu vois ce sang séché? Le propriétaire s'est probablement coupé à la main en se promenant dans la forêt. Il a ôté la bague avant de laver sa blessure dans le ruisseau et le gibbon la lui a dérobée. Dans la mesure où il s'agit d'un objet précieux et qu'il nous reste encore une heure avant l'ouverture de l'audience du matin, nous allons faire un tour par là-haut. Le propriétaire de la bague est peut-être encore en train d'errer à sa recherche. Y avait-il des lettres importantes au courrier de ce matin?

Le visage long et pâle de Tao Gan s'affaissa brutalement.

— Il y avait un mot du sergent Hong, Excellence, en provenance de Tchiang-pei. Il vous annonce que Ma Jong et Tsiao Taï n'ont encore rien découvert.

Le juge Ti fronça les sourcils. Le sergent Hong et ses deux autres lieutenants étaient partis deux jours plus tôt pour le district voisin de Tchiang-pei afin de prêter main-forte au collègue du juge Ti, aux prises avec une affaire compliquée dont les ramifications s'étendaient jusqu'à son propre district.

— Bon, soupira le juge, allons-y. Une marche rapide nous fera du bien!

Le magistrat fit signe au chef des sbires et lui ordonna de les accompagner avec deux de ses hommes.

Ils quittèrent l'enceinte du tribunal par la porte de

derrière. Après avoir suivi quelque temps la route étroite et boueuse, le chef des sbires prit le sentier qui s'enfonçait dans la forêt.

La pente était raide, malgré les nombreux lacets. Ils ne rencontrèrent personne en chemin, et seul le gazouillis des oiseaux perchés dans les arbres troublait le silence. Au bout d'un quart d'heure environ, le chef des sbires s'arrêta et désigna un bosquet de grands arbres, un peu plus haut.

— La voilà, Excellence ! s'exclama-t-il.

Ils ne tardèrent pas à se retrouver dans une clairière entourée de vieux chênes. Une petite hutte au toit de chaume moussu apparut devant eux. La porte était fermée, comme les volets de l'unique fenêtre. Un billot taillé dans un vieux tronc d'arbre était dressé devant la cabane, à côté d'un tas de paille. Un silence de mort régnait alentour ; l'endroit semblait tout à fait abandonné.

Le juge Ti se fraya un chemin dans l'herbe haute et mouillée, puis il ouvrit la porte. Dans la pénombre, il distingua une table en sapin et deux tabourets, ainsi qu'un simple lit de planches contre le mur du fond. Sur le sol, devant la couche, gisait un homme, en veste et pantalon bleu délavé, la mâchoire pendante et les yeux grands ouverts.

Le juge fit prestement demi-tour et ordonna au chef des sbires d'ouvrir les volets. Puis, imité par Tao Gan, il s'accroupit auprès du corps. Il s'agissait d'un homme assez âgé, mince et plutôt grand. Il avait un visage large, aux traits réguliers, orné d'une moustache grise et d'une barbiche courte et bien taillée. Ses cheveux gris ne formaient plus qu'une masse compacte de sang séché. Son bras droit était replié sur sa poitrine, le gauche étendu le long du corps. Le juge

Ti essaya en vain de lui soulever le bras, il était complètement raide.

— La mort remonte probablement à hier soir, marmonna-t-il.

— Qu'a-t-il à la main gauche, Excellence ? s'étonna Tao Gan.

Quatre doigts avaient été tranchés au niveau de la dernière phalange, réduits à l'état de moignons sanguinolents. Seul le pouce était intact.

Le juge examina attentivement la main mutilée, tannée par le soleil.

— Tu vois cette étroite bande de peau blanche autour de l'index, Tao Gan ? Son contour irrégulier correspond à l'entrelacs des dragons de la bague à l'émeraude. Voilà le propriétaire, il a été assassiné. Que tes hommes sortent le corps ! ordonna-t-il au chef des sbires en se relevant.

Tandis que les deux sbires emportaient le cadavre, le juge Ti et Tao Gan fouillèrent rapidement la cabane. Le sol, la table et les deux tabourets étaient recouverts d'une épaisse couche de poussière, mais le lit avait été soigneusement épousseté. Ils ne découvrirent pas la moindre tache de sang. Désignant les nombreuses traces de pas dans la poussière, Tao Gan remarqua :

— Apparemment, il y avait beaucoup de monde ici, hier soir. On dirait que cette empreinte-là est celle d'une chaussure de femme, petite et pointue. Et celle-là d'une chaussure d'homme, un très grand pied, ma foi !

Le juge Ti hocha la tête tout en scrutant le sol.

— Je ne vois aucune trace indiquant que le corps ait été traîné par terre ; donc il a dû être porté jusqu'à la cabane. Ils ont nettoyé le lit, mais au lieu d'y

allonger le corps, ils l'ont déposé sur le sol !
Etrange... Bon, examinons ce cadavre de plus près.

Dehors, le juge Ti montra le tas de paille en ajoutant :

— Tout se tient, Tao Gan. J'ai remarqué quelques brins de paille dans la fourrure du gibbon. Lorsque le corps a été transporté dans la hutte, la bague a glissé du moignon de l'index gauche et est tombée dans la paille. En passant par là, ce matin à l'aube, le gibbon a eu l'œil attiré par cet objet brillant et l'a ramassé. Il nous a fallu un quart d'heure pour arriver ici par le sentier, mais à vol d'oiseau il n'y a pas loin d'ici au pied de la montagne, derrière la résidence. Le gibbon n'a mis que très peu de temps pour descendre d'arbre en arbre.

Tao Gan s'avança pour examiner le billot.

— Il n'y a aucune trace de sang là-dessus, Excellence. Quant aux quatre doigts tranchés, ils ne sont nulle part.

— L'homme a certainement été mutilé et tué ailleurs, remarqua le juge. Ce n'est qu'ensuite que son cadavre a été transporté ici.

— Dans ce cas, le meurtrier doit être plutôt costaud, Excellence. Ce n'est pas rien de monter un cadavre jusqu'ici. A moins qu'il n'ait eu de l'aide, naturellement.

— Fouille-le !

Comme Tao Gan commençait à fouiller les vêtements du mort, le juge Ti examina attentivement son crâne. On avait dû l'assommer par-derrière, songea-t-il, avec un objet plutôt petit, mais lourd, probablement un marteau en fer. Puis il étudia la main droite, indemne. La paume et l'intérieur des doigts étaient calleux, mais les ongles étaient longs et soignés.

— Il n'y a absolument rien, Excellence ! s'exclama

Tao Gan en se redressant. Pas même un mouchoir ! Le meurtrier a dû enlever tout ce qui aurait pu permettre l'identification de sa victime.

— Nous avons la bague, en tout cas, remarqua le juge. Il avait certainement l'intention de l'emporter également. Voyant qu'elle avait disparu, l'assassin a dû penser qu'elle était tombée en chemin, et c'est en vain qu'il l'a cherchée à la lueur de sa lanterne.

Le juge se tourna vers le chef des sbires qui mâchonnait un cure-dent avec un air de profond ennui et lui demanda sèchement :

— Tu as déjà vu cet homme ?

— Non, Votre Honneur, jamais ! répondit-il en se mettant au garde-à-vous.

Après avoir interrogé du regard ses deux hommes qui secouèrent la tête négativement, il ajouta :

— Ce doit être un vagabond venu du Nord, Excellence.

— Demande à tes hommes de fabriquer un brancard avec deux grosses branches et d'emporter le corps au tribunal. Fais défiler devant les employés et tout le personnel pour savoir si par hasard quelqu'un le connaissait. Après avoir prévenu le contrôleur des décès, tu te rendras à l'officine de Monsieur Wang, sur la place du marché, et tu lui demanderas de venir me voir dans mon cabinet.

En chemin, Tao Gan s'enquit avec curiosité :

— Croyez-vous que l'apothicaire puisse nous éclairer sur cette affaire, Votre Excellence ?

— Oh non ! Mais je viens de penser que le cadavre a aussi bien pu être descendu de la montagne. C'est pourquoi je désire demander à Monsieur Wang s'il n'y a pas eu là-haut hier soir de bagarre ou un incident quelconque entre les vagabonds. J'en profiterai aussi pour lui demander qui d'autre y habite, à part lui-même et le prêteur sur gages, Leng. Ciel, ma robe s'est accrochée !

Tandis que Tao Gan dégageait la ronce, le juge Ti poursuivit :

— A en juger par ses vêtements, le mort est soit un ouvrier, soit un artisan, mais il a une tête d'intellectuel. Par ailleurs, ses mains calleuses et tannées mais soignées font penser qu'il s'agit d'un individu fortuné et instruit, aimant la vie au grand air. C'est cette émeraude de grande valeur qui me fait penser qu'il est riche.

Tao Gan resta silencieux pendant tout le reste du trajet. Parvenus à la route boueuse, il ne put toutefois s'empêcher de remarquer posément :

— Je ne crois pas que le fait de posséder une bague de valeur prouve que l'homme soit riche, Votre Excellence. Les voleurs de grands chemins sont en général très superstitieux. Ils s'attachent fréquemment à un bijou volé dont ils croient qu'il leur portera bonheur.

— C'est exact. Bon, je vais aller me changer à présent, car je suis trempé. Tu me retrouveras dans mon cabinet particulier.

Après avoir pris un bain et revêtu sa robe de cérémonie en brocart vert, le juge Ti eut tout juste le temps de boire une tasse de thé. Puis Tao Gan l'aida à ajuster son bonnet aux ailes empesées et les deux hommes passèrent dans la salle du tribunal attenante au cabinet du juge. Seules quelques affaires de routine étaient à l'ordre du jour, de sorte que le juge fit retentir son martelet et déclara l'audience levée au bout d'une petite demi-heure. De retour dans son cabinet, il prit place à son grand bureau, repoussa le monceau de papiers administratifs qui l'encombrait et posa l'émeraude devant lui. Puis, sortant de sa manche son éventail, il le pointa vers la bague.

— C'est une bien curieuse affaire, Tao Gan ! déclara-t-il. Que peuvent signifier ces doigts coupés ? Que l'assassin a torturé sa victime avant de la tuer, afin de la faire parler ? A moins qu'il ne lui ait coupé les doigts après le meurtre parce qu'ils portaient un signe distinctif qui aurait permis l'identification du mort ?

Tao Gan ne répondit pas immédiatement. Il servit une tasse de thé chaud à son maître, puis reprit place sur le tabouret, devant le bureau et, tout en tiraillant lentement les trois longs poils de sa verrue, dit :

— Etant donné que les quatre doigts semblent avoir été tranchés en même temps, je pense que votre seconde hypothèse est la bonne, Excellence. D'après notre chef des sbires, cette cabane abandonnée servait souvent de refuge aux vagabonds. Or, la plupart d'entre eux sont organisés en bandes ou en sociétés secrètes. Tout futur membre doit prêter un serment d'allégeance au chef de bande et, pour prouver sa bonne foi et son courage, se couper solennellement le bout du petit doigt gauche. S'il s'agit effectivement d'un meurtre commis par une bande de malfrats, il est fort possible que les assassins aient coupé les quatre doigts pour dissimuler la mutilation de l'auriculaire et faire disparaître ainsi un indice important sur l'origine du crime.

Le juge Ti tapota le bureau de son éventail.

— Excellent raisonnement, Tao Gan. Admettons pour commencer que tu aies raison. En ce cas...

On frappa à la porte. Le contrôleur des décès apparut et salua respectueusement le juge, puis déposa un formulaire officiel sur le bureau.

— Voici mon rapport d'autopsie, Noble Juge.

Tous les détails y figurent, hormis le nom de la victime, naturellement. Le défunt devait avoir une cinquantaine d'années et était apparemment en bonne santé. Je n'ai découvert ni malformations, ni tache de naissance ou cicatrices. Non plus que quelque ecchymose ou autre trace de violences. Il a été tué d'un seul coup porté derrière la tête, probablement par un marteau de fer, petit mais lourd. Quatre doigts lui ont été coupés à la main gauche, juste avant le meurtre ou aussitôt après. La mort remonterait à hier soir.

Le contrôleur des décès se gratta la tête, puis reprit quelque peu embarrassé :

— Je vous avouerai, Excellence, que le problème de ces doigts me tracasse. Je n'ai pas réussi à découvrir la façon dont ils ont été tranchés. Les os des moignons ne sont pas écrasés, la chair n'est pas meurtrie et la peau n'est pas déchiquetée. On a dû lui poser la main sur une surface plane et lui couper les quatre doigts d'un seul coup, avec un instrument lourd et aiguisé comme un rasoir. Si l'on s'était servi d'une grande hache ou d'une épée, on n'aurait jamais obtenu de mutilation aussi propre et nette. Je ne sais vraiment qu'en penser !

Le juge Ti parcourut rapidement le rapport avant de relever la tête et de demander au contrôleur des décès :

— Et l'état de ses pieds ?

— Tout indique qu'il s'agissait d'un vagabond : des callosités aux endroits habituels et des ongles abîmés ; les pieds d'un homme qui marche beaucoup et souvent pieds nus.

— Je vois. Quelqu'un l'a-t-il reconnu ?

— Personne, Excellence. J'étais présent lorsque le

personnel du tribunal a défilé devant le corps, personne ne l'avait jamais vu.

— Je vous remercie, vous pouvez disposer.

Le chef des sbires, qui avait attendu dans le couloir la fin de l'entretien, entra et informa le juge que Monsieur Wang, l'apothicaire, était arrivé.

Le juge replia son éventail.

— Fais-le entrer ! ordonna-t-il au chef des sbires.

L'apothicaire était un petit homme maigre, légèrement voûté, en robe de soie noire impeccable et bonnet carré de même couleur. Il avait un visage pâle, plutôt réservé, rehaussé d'une moustache noire et d'une barbiche. Dès qu'il eut salué le juge, ce dernier lui dit d'un ton affable :

— Asseyez-vous, Monsieur Wang. Nous ne sommes pas au tribunal, ici. Je suis navré de vous déranger, mais j'ai besoin de quelques renseignements sur ce qui peut se passer là-haut dans la montagne. Vous êtes toute la journée dans votre officine, je sais, mais je suppose que vous passez vos soirées et vos nuits dans votre maison de campagne, n'est-ce pas ?

— Oui, en effet, Noble Juge, répondit Wang d'une voix posée. Il y fait bien plus frais qu'en ville en cette saison de l'année.

— C'est exact. J'ai entendu dire que des malandrins avaient fait du grabuge dans les parages hier soir.

— Non, tout était calme, Excellence. Il est vrai qu'il y rôde toutes sortes de vagabonds et autres canailles. Ils passent la nuit dans la forêt car ils ont peur d'entrer dans la ville à une heure tardive et de se faire arrêter par les veilleurs de nuit. La présence de ces vauriens est le seul désagrément de ce lieu des plus plaisants. Il nous arrive parfois de les entendre

27

crier et se quereller sur la route, mais toutes les maisons de la montagne, y compris la mienne, sont entourées d'un haut mur, de sorte que nous n'avons pas à craindre les tentatives de vol et les ignorons purement et simplement.

— Je vous saurai gré, Monsieur Wang, de vous renseigner également auprès de vos domestiques. L'incident ne s'est peut-être pas produit sur la route, mais dans les bois, derrière chez vous.

— Je peux tout de suite répondre à Votre Excellence qu'ils n'ont ni vu ni entendu quoi que ce soit. J'ai passé toute la soirée à la maison et personne d'entre nous n'est sorti. Vous devriez demander à Monsieur Leng, le prêteur sur gages, Excellence. Il habite la maison d'à côté et... n'a pas d'horaires particulièrement fixes.

— Qui d'autre habite dans ce secteur, Monsieur Wang ?

— En ce moment, personne, Excellence. Il y a trois autres maisons, mais elles appartiennent à de riches marchands de la capitale qui n'y viennent que pendant les vacances d'été. Elles sont vides à l'heure actuelle.

— Je vois. Eh bien, je vous remercie beaucoup, Monsieur Wang. Cela vous dérangerait-il de suivre le chef des sbires jusqu'à la morgue ? Je voudrais que vous y examiniez le corps d'un vagabond et que vous me disiez si vous l'avez vu dernièrement dans les parages.

Après le départ de l'apothicaire, qui prit congé avec un profond salut, Tao Gan intervint :

— Nous ne devons pas non plus écarter l'hypothèse que l'homme ait été assassiné en ville, Excellence. Dans une gargote ou un bordel de bas étage.

Le juge Ti secoua la tête.

— Si cela avait été le cas, Tao Gan, ils auraient caché le corps sous le plancher ou l'auraient jeté dans un puits. Ils n'auraient jamais pris le risque de le transporter dans la montagne, ce qui les aurait obligés à passer tout près du tribunal.

Le juge ressortit la bague de sa manche et la tendit à Tao Gan.

— Lorsque le contrôleur des décès est entré, j'allais te demander d'aller en ville et de montrer cette bague à tous les prêteurs sur gages. Tu peux commencer tout de suite. Ne t'inquiète pas pour les affaires courantes, Tao Gan, je m'en occuperai tout seul ce matin.

Le juge congédia son lieutenant avec un sourire d'encouragement et entreprit de classer le courrier de la matinée. Après s'être fait apporter des archives les dossiers dont il avait besoin, il se mit au travail. Il ne fut dérangé qu'une seule fois, lorsque le chef des sbires vint l'informer que Monsieur Wang avait vu le corps et déclaré qu'il ne reconnaissait pas le vagabond.

A midi, le juge se fit apporter un plateau de gruau de riz et de légumes salés qu'il mangea à son bureau, servi par l'un des secrétaires du tribunal. Tout en dégustant une tasse de thé fort, il réfléchit au meurtre du vagabond. Bien que tout portât à croire qu'il s'agissait d'un meurtre commis par une bande, il envisageait néanmoins les choses d'un autre point de vue. Il dut toutefois reconnaître que ses doutes reposaient sur des bases fort fragiles : sur le simple sentiment que la victime n'était pas un vagabond, mais un homme intelligent, instruit et possédant une forte personnalité. Il décida de ne pas faire part de ses doutes pour le moment à son lieutenant. Tao Gan n'était à son service que depuis dix mois et il se montrait si zélé que le juge répugnait à le décourager en contestant la validité de son hypothèse sur la signification des quatre doigts coupés. Et il serait fâcheux de lui apprendre à se fonder sur ses impressions plutôt que sur les faits !

Le juge Ti reposa sa tasse à thé en soupirant et approcha un volumineux dossier. Il contenait tous les documents concernant l'affaire de contrebande survenue dans le district voisin de Tchiang-pei. Quatre jours plus tôt, les soldats avaient surpris trois hommes en train d'essayer de faire passer deux coffres de l'autre côté du fleuve qui séparait les deux districts. Les hommes s'étaient enfuis dans les bois de Tchiang-pei, abandonnant les coffres derrière eux. Ils se révélèrent bourrés de petits sachets de poussière d'or et d'argent, de camphre, de mercure et de ginseng — la précieuse racine importée de Corée — toutes marchandises soumises à de lourdes taxes. La saisie ayant été opérée à Tchiang-pei, l'affaire revenait au collègue du juge Ti, magistrat de ce district. Or ce dernier, se trouvant à court de personnel, avait demandé son aide au juge Ti, qui la lui avait accordée d'autant plus volontiers qu'il soupçonnait les contrebandiers d'avoir des complices dans son propre district. Il avait envoyé à Tchiang-pei son fidèle conseiller, le vieux sergent Hong, ainsi que ses deux lieutenants, Ma Jong et Tsiao Taï. Ils avaient établi leur quartier général dans le poste de garde militaire, auprès du pont qui franchissait le fleuve frontalier.

Le juge sortit du dossier la carte de la région et l'étudia attentivement. Ma Jong et Tsiao Taï avaient passé les bois au peigne fin avec les soldats et interrogé les paysans des environs, sans découvrir le moindre indice. C'était une affaire embarrassante, car les instances supérieures voyaient toujours d'un très mauvais œil la fraude fiscale. Le préfet, supérieur direct du juge Ti et de son collègue de Tchiang-pei, avait envoyé à ce dernier une note comminatoire, exigeant des résultats dans les plus brefs délais. Il avait ajouté que l'affaire était pressante, car l'importance de la contrebande prouvait qu'il ne s'agissait pas d'une tentative isolée de contrebandiers locaux. Ils étaient certainement commandités par une puissante organisation qui dirigeait les opérations. Les trois hommes n'avaient de l'intérêt que dans la mesure où ils pourraient permettre de remonter jusqu'à leur chef. Les autorités métropolitaines soupçonnaient un gros financier de la capitale d'être le chef du réseau. Si ce redoutable criminel n'était pas démasqué, la contrebande continuerait de plus belle.

Le juge se versa une autre tasse de thé en hochant longuement la tête.

Tao Gan s'en revenait vers la place du marché éreinté et de fort méchante humeur. Dans le quartier torride et malodorant du marché au poisson, il était entré dans pas moins de six officines de prêteurs sur gages et s'était consciencieusement renseigné chez un bon nombre de marchands d'or et d'argent, ainsi que dans quelques hôtels borgnes et asiles de nuit. Personne n'avait vu cette bague ornée d'une émeraude et de deux dragons entrelacés, ni entendu parler d'une bagarre en ville ou dans les environs.

Tao Gan gravit les larges degrés de pierre du temple de Confucius, envahis par les éventaires des marchands ambulants, et s'assit sur un tabouret de bambou, face à l'étal d'un petit vendeur de gâteaux à l'huile. Tout en massant ses jambes endolories, il pensa avec amertume qu'il avait échoué dans la première mission dont le chargeait le juge en particulier ; jusqu'alors, il avait toujours travaillé en compagnie de Ma Jong et de Tsiao Taï. Il venait de perdre une occasion exceptionnelle de faire ses preuves ! « Il est vrai, se dit-il, qu'il me manque la force physique et l'expérience de mes collègues, mais j'en sais aussi long qu'eux sur les tours et détours de la pègre, si ce n'est davantage ! Pourquoi... ? »

— Ici, on consomme, on ne se repose pas à l'œil ! intervint le vendeur de gâteaux d'un ton revêche. En plus, ta mine sinistre fait fuir tous les clients !

Tao Gan lui jeta un regard noir et s'offrit cinq sapèques de gâteaux à l'huile. Ils lui tiendraient lieu de déjeuner, car Tao Gan était très parcimonieux. Tout en mâchant ses gâteaux, il laissa errer son regard sur la place du marché, jetant un œil envieux sur la belle vitrine de l'officine de l'apothicaire Wang, de l'autre côté de la place, décorée à l'envi de laque dorée. Le grand bâtiment de pierre attenant avait l'air austère mais imposant. Une petite enseigne portant l'inscription « LENG-prêteur sur gages » pendait au-dessus des fenêtres grillagées.

— Des vagabonds n'auraient jamais l'idée de s'adresser à une officine aussi prospère, maugréa Tao Gan. Mais pendant que j'y suis, autant y faire un tour. En outre, Leng possède une maison de campagne sur la montagne. Il se pourrait qu'il ait entendu ou vu quelque chose hier soir.

Tao Gan se leva et se fraya un chemin à travers la foule du marché.

Devant le haut comptoir qui traversait la vaste pièce, une douzaine de clients cossus discutaient fiévreusement avec les employés. Au fond, un homme aussi grand que gros, assis derrière un imposant bureau, déplaçait les boules d'un abaque de ses doigts blancs et potelés. Il portait une ample robe grise et un petit bonnet noir. Tao Gan plongea la main dans sa vaste manche et tendit au premier employé qui se présenta une impressionnante carte de visite rouge, annonçant en grands caractères : « Kan Tao, achat et vente de bijoux anciens, or et argent. » L'adresse qui figurait au coin était celle de la célèbre rue des joailliers de la capitale. C'était l'une des nombreuses fausses cartes de visite que Tao Gan avait utilisées lors de sa longue carrière d'escroc professionnel ; lorsqu'il était entré au service du juge Ti, il n'avait pu se résoudre à se séparer de son étonnante collection.

Quand l'employé eut présenté la carte au gros homme, celui-ci se leva aussitôt et s'approcha pesamment du comptoir. Un sourire jovial plissa son visage rond et hautain comme il s'adressait à Tao Gan :

— Qu'y a-t-il pour votre service, Monsieur ?

— Je ne désire qu'un simple renseignement confidentiel, Monsieur Leng. Un individu m'a proposé une bague ornée d'une émeraude à un tiers de sa valeur. Je crois qu'elle a été volée et je me suis demandé si l'on n'avait pas essayé de la mettre en gage chez vous.

Ce que disant, il sortit la bague de sa manche et la déposa sur le comptoir.

Le visage de Leng s'affaissa brusquement.

— Non, répliqua-t-il sèchement, je ne l'ai jamais vue.

Puis il lança à l'employé bigle qui cherchait à voir l'objet par-dessus son épaule :

— Cela ne te regarde pas ! Désolé de ne pouvoir vous aider, Monsieur Kan ! dit-il à Tao Gan avant de regagner son bureau.

L'employé bigle fit alors un clin d'œil à Tao Gan en lui indiquant la porte du menton. Tao Gan hocha la tête et sortit. Apercevant un banc de marbre rouge sous le porche de l'officine de l'apothicaire, il s'y assit et attendit.

Par la fenêtre ouverte, il regarda avec intérêt ce qui se passait à l'intérieur. Deux aides étaient occupés à confectionner des pilules entre deux disques de bois, un autre découpait en lamelles une grosse racine posée sur un billot à l'aide d'un couperet fixé sur la planche. Deux de leurs collègues rangeaient des mille-pattes et des araignées séchés ; Tao Gan savait que ces ingrédients, écrasés dans un mortier avec des dépouilles de cigales, puis dissous dans du vin chaud, constitueraient un excellent remède contre la toux.

Un bruit de pas se fit entendre. L'employé bigle s'approcha de Tao Gan et vint s'asseoir à ses côtés.

— Mon imbécile de patron ne vous a pas reconnu, dit-il avec un sourire satisfait, mais moi, je vous ai remis tout de suite ! Je me rappelle parfaitement vous avoir vu au tribunal, assis à la table des secrétaires.

— Venez-en au fait ! répondit Tao Gan avec humeur.

— Le fait est que ce gros plein de soupe ment, mon cher ! Il a déjà vu cette bague, il l'a même tenue entre les mains, au comptoir.

— Tiens, tiens... Et il a perdu la mémoire, je suppose.

— Pas le moins du monde ! Cette bague nous a été apportée il y a deux jours, par un sacré beau brin de fille. J'allais justement lui demander si elle désirait la mettre en gage quand le patron est arrivé et m'a envoyé promener. Il passe sa vie à courir après les jolies femmes, ce vieux croûton ! Bon, je les ai surveillés du coin de l'œil, mais je n'ai rien pu entendre de ce qu'ils chuchotaient. Pour finir, elle a repris sa bague et filé.

— Quel genre de femme était-ce ?

— Pas une dame, en tout cas, ça, je peux vous l'assurer ! Elle avait une veste et un pantalon bleus tout rapiécés, comme une vraie fille de cuisine. Grands dieux, si j'étais riche, ça ne me déplairait pas d'avoir une petite bonne dans ce genre à la maison ! Elle était vraiment bien tournée ! Quoi qu'il en soit, mon patron est un escroc, croyez-moi. Il est mêlé à toutes sortes de trafics louches et truande le fisc.

— Vous n'avez pas l'air de le porter dans votre cœur ?

— Faut voir comme il nous fait trimer, lui et son morveux de fils ! Ils ne nous quittent pas des yeux de la journée, moi et mes collègues ; aucune chance d'arriver à mettre un peu d'argent de côté avec eux !

L'employé soupira puis reprit sur un ton plus calme :

— Si le tribunal me paie dix sapèques par jour, je peux réunir toutes les preuves pour l'accuser de fraude fiscale. Quant à ce que je viens de vous apprendre, vingt-cinq sapèques feront l'affaire.

Tao Gan se leva et lui tapa sur l'épaule.

— Continue comme ça, mon vieux ! s'exclama-t-il jovialement. Et tu deviendras à ton tour un gros plein de soupe, avec un gigantesque abaque.

Puis il ajouta gravement :

— Si j'ai besoin de toi, je t'enverrai chercher. Salut !

L'employé désappointé regagna son officine en quatrième vitesse, suivi par Tao Gan d'un pas nettement plus nonchalant. Une fois entré, le lieutenant du juge Ti frappa sur le comptoir en faisant signe au gros prêteur d'approcher. Tout en lui présentant ses papiers d'identité officiels, portant le grand sceau rouge du tribunal, il lui dit d'un ton sec :

— Vous allez me suivre au tribunal, Monsieur Leng. Son Excellence le magistrat désire vous voir. Non, inutile de vous changer. Cette robe grise est tout à fait convenable. Dépêchez-vous, je n'ai pas que ça à faire !

Le luxueux palanquin capitonné de Monsieur Leng les conduisit au tribunal.

Tao Gan fit attendre le prêteur sur gages dans l'antichambre où il se laissa lourdement tomber sur un banc et entreprit aussitôt de s'éventer énergiquement avec un grand éventail de soie. Il bondit sur ses pieds en voyant Tao Gan revenir le chercher.

— Que signifie tout ceci, Monsieur ? demanda Leng d'un air inquiet.

Tao Gan lui jeta un coup d'œil compatissant. Il s'amusait de tout son cœur.

— Eh bien, commença-t-il lentement, je ne peux rien vous dire, naturellement. Mais sachez au moins ceci : je suis ravi de ne pas être à votre place, Monsieur Leng !

Lorsque le prêteur, en nage, fut introduit par Tao Gan dans le cabinet du juge Ti et qu'il eut aperçu le magistrat assis derrière son bureau, il se laissa tomber à genoux et frappa le sol de son front.

— Epargnez-vous ce genre de cérémonies, Monsieur Leng, lui ordonna froidement le juge. Asseyez-vous et écoutez-moi ! Il est de mon devoir de vous avertir que si vous ne répondez pas sincèrement à mes questions, je me verrai obligé de vous interroger à l'audience. Où étiez-vous hier soir ? Parlez !

— Miséricorde ! C'est bien ce que je craignais ! s'exclama le gros homme. J'avais seulement quelques coupes dans le nez, Excellence ! Je le jure ! Quand je fermai l'officine, mon vieil ami Tchou, l'orfèvre, est passé me voir et m'a invité à aller boire un coup dans le débit de vin du coin. Nous avons vidé deux pichets, tout au plus ! Je tenais encore correctement sur mes jambes. Le vieux vous l'a dit, je suppose ?

Le juge Ti acquiesça. Il n'avait pas la moindre idée de ce à quoi faisait allusion l'homme en proie à une vive excitation. Si Leng avait répondu qu'il était chez lui la veille, le juge avait prévu de lui demander s'il s'était passé quelque chose sur la montagne, puis l'aurait confondu avec son mensonge au sujet de l'émeraude.

— Je désire tout entendre de nouveau de votre propre bouche, dit-il sèchement.

— Eh bien, après avoir pris congé de mon ami Tchou, Excellence, j'ai demandé à mes porteurs de me conduire en palanquin jusqu'à ma maison de campagne, sur la montagne. Au moment même où nous dépassions votre tribunal, une bande de jeunes voyous, des chenapans accomplis, ont commencé à me conspuer. En règle générale, je ne fais pas attention à ce genre de choses, mais... euh, comme je vous le disais, j'étais... Donc je me suis fâché et j'ai demandé à mes porteurs de déposer le palanquin et de donner une leçon à cette racaille. C'est alors qu'apparut ce vieux vagabond. Il se met à donner des coups de pied contre mon palanquin et à me traiter de sale despote. Or, un individu de mon rang ne peut laisser dire de pareilles choses ! Je suis descendu et j'ai poussé le vieux brigand. Simplement poussé, Excellence. Il est tombé en arrière et resté étendu par terre, sur le dos.

Le prêteur sur gages sortit un grand mouchoir dont il s'épongea la face.

— S'est-il blessé à la tête en tombant ? demanda le juge.

— Blessé ? Mais non, voyons, Excellence ! Il est tombé au milieu de la route, sur du mou. J'aurais dû y regarder de plus près, naturellement, pour m'assurer qu'il n'avait rien de cassé. Mais les voyous ont recommencé à m'insulter de plus belle, alors j'ai sauté dans mon palanquin et dit à mes porteurs de s'éloigner. Ce ne fut qu'à mi-chemin vers la crête, quand l'air du soir m'eut un peu éclairci les idées, que j'ai pensé que le vieux vagabond avait pu avoir une crise cardiaque. Donc je suis redescendu ; j'ai prévenu mes porteurs que j'allais marcher un peu et qu'ils rentrent sans m'attendre à la maison. Je me suis donc rendu jusqu'au lieu de l'incident, mais...

— Que n'avez-vous simplement demandé à vos porteurs de vous y reconduire ? coupa le juge.

Le prêteur sur gages eut l'air embarrassé.

— Excellence, vous connaissez les coolies de nos jours. Si ce vagabond avait réellement eu un malaise, je n'aurais pas tenu à ce que mes porteurs le sachent, voyez-vous. Ces impudents coquins ne répugnent pas à vous faire chanter à l'occasion... Toujours est-il qu'en arrivant au coin de la rue, là en bas, mon vieux vagabond avait disparu. Un colporteur m'a dit que le vieux gredin s'était relevé peu après mon départ. Il a proféré des horreurs sur mon compte puis a pris la route vers la crête, aussi vif qu'un gardon !

— Oui... Et qu'avez-vous fait ensuite ?

— Moi ? Oh, j'ai loué une chaise à porteurs et je suis rentré chez moi. Mais cet incident m'avait retourner les sangs et en arrivant devant ma porte, je me suis senti brusquement très mal. Heureusement Monsieur Wang et son fils rentraient précisément de promenade, et le jeune homme m'a transporté à l'intérieur. Il est fort comme un bœuf, ce garçon. Et puis je suis allé directement me coucher.

Leng s'épongea de nouveau le visage avant de conclure :

— Je reconnais que je n'aurais jamais dû lever la main sur ce vieillard, Excellence. Et à présent, il a porté plainte, naturellement. Allez, je suis prêt à le dédommager, s'il le faut, cela va de soi, et...

Le juge Ti s'était levé.

— Venez avec moi, Monsieur Leng, dit-il d'une voix calme. Je voudrais vous montrer quelque chose.

Le juge sortit de son bureau, suivi de Tao Gan et du prêteur médusé. Dans la cour, le juge demanda au chef des sbires de les conduire à la morgue. Il les fit entrer dans une petite pièce à l'odeur de renfermé, vide, hormis une table en bois blanc sur des tréteaux, recouverte d'une natte de jonc. Le juge souleva un coin de la natte et demanda :

— Connaissez-vous cet homme, Monsieur Leng ?

Après avoir jeté un coup d'œil au vieux vagabond, Leng s'écria :

— Il est mort ! Juste ciel, je l'ai tué ! Pitié, Excellence, gémit-il en se jetant à genoux, pitié ! C'est un accident, je le jure ! Je...

— Vous aurez l'occasion de vous expliquer lorsque vous passerez en jugement, répondit froidement le juge. Pour l'instant, retournons dans mon cabinet, car je n'en ai pas encore terminé avec vous, Monsieur Leng, tant s'en faut !

De retour dans son cabinet particulier, le juge Ti s'assit à son bureau et fit signe à Tao Gan de prendre place sur le tabouret, devant. Il n'invita pas Leng à s'asseoir, et l'homme resta debout, sous l'œil vigilant du chef des sbires.

Le juge Ti l'observa un moment en silence, tout en

caressant lentement ses longs favoris. Puis il se leva, sortit l'émeraude de sa manche et demanda :

— Pourquoi avez-vous dit à mon assistant que vous n'aviez jamais vu cette bague ?

Leng fixait la bague les yeux écarquillés. La question soudaine du juge Ti ne semblait pas l'avoir particulièrement troublé.

— Je ne pouvais pas savoir que ce monsieur appartenait au personnel du tribunal, n'est-ce pas, Excellence ? répondit-il d'un ton un peu ennuyé. Autrement je le lui aurais dit, bien entendu. Mais cette bague me rappelait un très mauvais souvenir, et je ne me suis pas senti le cœur d'en parler avec un parfait inconnu.

— Très bien. A présent, dites-moi qui était cette jeune femme.

Leng haussa les épaules.

— Ça, je ne pourrais certainement pas vous le dire, Excellence ! Elle avait l'air plutôt pauvre, et faisait partie d'une bande de vagabonds car elle avait le bout du petit doigt gauche coupé. Mais c'était une jolie fille, je dirai même plus, une très jolie fille. Donc elle a posé la bague sur le comptoir et m'a demandé combien elle valait. C'est une belle pièce ancienne, comme vous pouvez le constater, Excellence, qui monterait jusqu'à six pièces d'argent environ. Dix peut-être pour un collectionneur. Alors je lui ai dit : « Je peux t'en donner une belle pièce d'argent si tu veux la mettre en gage et deux si tu préfères la vendre tout de suite. » Les affaires sont les affaires, non ? Même s'il se trouve que votre client est un beau brin de fille. Mais a-t-elle accepté mon offre ? Pensez-vous ! Elle m'a arraché la bague des mains en susurrant rageusement : « C'est pas à vendre ! » et elle est partie. Je ne l'ai pas revue.

— Ce n'est pas du tout ce que l'on m'a raconté, rétorqua le juge Ti. Parlez, que mijotiez-vous tous les deux ?

Leng devint écarlate.

— Alors comme ça mes employés, ces bons à rien, m'ont encore espionné ? Eh bien, Excellence, vous allez comprendre combien c'était maladroit de ma part. Je le lui ai demandé simplement parce que je craignais qu'une jeune fille aussi mignonne, arrivée de sa campagne, toute seule en ville... ne rencontre pas que des gens bien, et...

Le juge Ti frappa du poing sur la table.

— Cessez de me débiter des balivernes, voulez-vous ! Répétez-moi exactement ce que vous lui avez dit.

— Eh bien, commença Leng d'un air penaud, je lui ai proposé de nous retrouver plus tard dans une maison de thé des environs et... et je lui ai un petit peu caressé la main, rien que pour la rassurer, voyez-vous. La gamine est alors entrée dans une rage folle, disant que si je n'arrêtais pas de l'importuner, elle appellerait son frère qui attendait dehors. Et puis... et puis elle a filé.

— Très bien. Mets cet homme aux arrêts, dit le juge au chef des sbires. Il est soupçonné de meurtre.

Le chef des sbires se saisit du prêteur sur gages ulcéré et l'entraîna au-dehors.

— Ressers-moi une tasse de thé, Tao Gan, dit le juge. Quelle étrange histoire ! Tu as remarqué combien la version de Leng quant à sa rencontre avec la fille et celle de l'employé diffèrent ?

— En effet, Noble Juge ! approuva vivement Tao Gan. Ce misérable commis n'a nullement fait mention de leur dispute au comptoir. A l'en croire, ils ont discuté à voix basse. J'ai l'impression qu'en réalité la jeune fille a accepté la proposition de Leng, Excel-

« Je n'en ai pas encore terminé avec vous, Monsieur Leng ! »

lence. Quant à la dispute dont a parlé Leng, elle a eu lieu plus tard, dans la maison de rendez-vous. Et c'est pourquoi Leng a tué le vieux vagabond !

— Développe un peu ta théorie, Tao Gan !

— A mon avis, cette fois-ci le badinage de Leng a mal tourné ; car la fille, son frère et le vieux vagabond faisaient partie de la même bande ; la gamine leur servait d'appât. Dès que Leng fut arrivé dans la maison de rendez-vous et eut commencé à faire de sérieuses avances à la fille, elle s'est mise à crier qu'il était en train de l'agresser — procédé classique et bien connu. Son frère et le vieux vagabond sont entrés dans la pièce et ont exigé de l'argent. Leng parvint à s'enfuir. Mais en chemin vers sa maison de campagne, le vieux l'intercepta et tenta de le faire payer en provoquant un esclandre dans la rue. Les porteurs de Leng, occupés à rosser les jeunes voyous, ne purent entendre les motifs de la querelle entre leur maître et le vieux. Leng réduisit le vieux au silence en l'assommant. Que pensez-vous de cette hypothèse, Excellence ?

— Elle est vraisemblable et correspond parfaitement au caractère de Leng. Continue !

— En remontant chez lui en palanquin, Leng commença à s'inquiéter réellement. Non pas de l'état du vieux, non, mais de la présence des autres membres de la bande. Il craignait qu'au moment où ils découvriraient le vieux ils ne se lancent à ses trousses pour se venger. Quand le colporteur apprit à Leng que le vagabond avait pris la route de la montagne, le prêteur partit sur ses traces. A mi-chemin environ, il le retrouva et le frappa par-derrière avec une grosse pierre aiguë ou encore avec la garde de son poignard.

Tao Gan se tut. Sur le signe de tête encourageant du juge, il reprit :

— Il était relativement facile à Leng, robuste et très familier de ces parages, de transporter le cadavre jusqu'à la cabane abandonnée. Par ailleurs, Leng avait une excellente raison de vouloir trancher les doigts de sa victime : il fallait cacher le fait qu'elle faisait partie d'une bande. Mais quant au lieu et à la façon dont il lui coupa les doigts, je dois reconnaître que je n'en ai pas la moindre idée, Excellence.

Le juge Ti se redressa sur son siège. Tout en lissant sa longue barbe noire, il dit en souriant :

— Tu t'en es très bien sorti, Tao Gan. Tu as un esprit logique ainsi qu'une imagination extraordinaire, combinaison qui contribuera à faire de toi un fin limier ! Je vais assurément garder cette hypothèse en tête. Toutefois, son point faible est qu'elle est entièrement fondée sur la supposition que le témoignage de l'employé de Leng est parfaitement véridique. Mais en évoquant les incohérences entre les deux versions, je désirais te donner un exemple du peu de foi que l'on doit accorder aux rapports des témoins. A vrai dire, Tao Gan, il est encore trop tôt pour échafauder des hypothèses. Nous devons commencer par vérifier les faits et tâcher de découvrir de nouveaux éléments.

Remarquant l'air déçu de Tao Gan, le juge Ti s'empressa de poursuivre :

— Grâce à ton excellent travail de cet après-midi, nous disposons à présent de trois éléments avérés. Premièrement, nous savons qu'une jolie vagabonde a un rapport avec la bague. Deuxièmement, qu'elle a un frère ; car qu'importe ce qui s'est réellement passé, Leng n'a aucune raison de lui inventer ce frère. Et troisièmement qu'il y a un lien entre la fille, son frère et la victime. Ils appartenaient probablement à la même bande, et dans ce cas, il s'agirait d'une bande étrangère au district ; car personne au tribunal ne connaissait l'homme, et Leng pensait que la jeune fille était de la campagne.

« Donc, ta prochaine mission consiste à retrouver la fille et son frère. Ce ne devrait pas être difficile ; une jeune vagabonde d'une si étonnante beauté ne passe pas inaperçue. En général, les femmes qui rejoignent ce genre de bandes sont des prostituées de bas étage. »

— Je pourrais me renseigner auprès du Chef des Mendiants, Excellence ! C'est un vieux gredin, intelligent et plutôt coopératif.

— Oui, c'est une bonne idée. Pendant que tu seras occupé en ville, je vérifierai l'histoire de Leng. Je vais interroger son vaurien d'employé, son ami l'orfèvre Tchou et ses porteurs. Je vais également charger le chef des sbires de retrouver l'un ou l'autre des petits voyous qui ont insulté Leng ainsi que le colporteur qui a vu le vieux partir dans la colline. Enfin, je demanderai à Monsieur Wang si Leng était effectivement très ivre en rentrant chez lui. Toutes ces démarches de routine seraient plutôt du ressort du vieil Hong, de Ma Jong et de Tsiao Taï, mais puisqu'ils ne sont pas là, je m'en chargerai volontiers. Cela me distraira de cette affaire de contrebande qui me préoccupe considérablement. Bien, au travail et bonne chance !

Le vieillard qui se tenait derrière son comptoir était l'unique occupant de *la Carpe rouge*, gargote malodorante. Il portait une pauvre robe bleue et un bonnet noir et graisseux. Son visage long et ridé était orné d'une maigre moustache et d'une barbiche pointue. Le regard perdu dans le vague, il curait ses dents gâtées d'un air morose. Ce n'est que plus tard qu'il aurait à s'activer, au moment où les mendiants se retrouveraient là pour lui remettre sa part de leurs gains. Le vieillard contempla en silence Tao Gan qui se versait d'autorité une tasse de vin du pichet de terre ébréché. Puis il se saisit prestement du pichet et le fit disparaître sous le comptoir.

— Vous avez eu une matinée très chargée, Monsieur Tao, fit-il d'une voix lugubre. Passée à vous renseigner à propos de bagarres et de bagues en or...

Tao Gan acquiesça. Il savait que les mendiants du vieux, omniprésents, le tenaient informé de tout ce qui se passait en ville.

— C'est pour cela que j'ai pris mon après-midi ! répondit gaiement Tao Gan en reposant sa tasse de vin. J'avais l'intention de m'amuser un brin. Pas avec une professionnelle, figurez-vous, mais avec une indépendante !

— Très malin ! commenta le vieux d'un ton aigre. Comme ça, vous pourrez la faire boucler pour absence de licence ; vous prenez votre plaisir gratis et par-dessus le marché vous touchez une prime du tribunal, bravo !

— Pour qui me prenez-vous ? Je désire une indépendante et étrangère à la ville parce que je pense à ma réputation, moi.

— Et pourquoi donc, Monsieur Tao ? demanda gravement le Chef des Mendiants. Etant donné la réputation que vous avez...

Tao Gan choisit de ne pas relever la remarque acerbe.

— Je voudrais quelque chose de jeune et de joli, fit-il pensivement. Mais bon marché, s'il vous plaît !

— Vous allez me prouver que vous appréciez mes conseils, Monsieur Tao !

Le vieillard regarda Tao Gan aligner laborieusement cinq sapèques sur le comptoir, mais sans faire le moindre geste de s'en saisir. Poussant un profond soupir, Tao Gan en ajouta cinq autres. Le vieux les rafla alors d'un revers de la main.

— Allez à l'Auberge des Nuages bleus, maugréa-t-il. C'est à deux rues d'ici, la quatrième maison sur votre gauche. Demandez-y Seng Kiou, son frère. C'est avec lui que se règlent les affaires, à ce que je sais.

Considérant Tao Gan d'un air songeur, il ajouta avec un sourire en coin :

— Seng Kiou va vous plaire, Monsieur Tao. Il est correct, très ouvert et particulièrement hospitalier. Amusez-vous bien, Monsieur Tao ! Vous le méritez !

Tao Gan remercia le vieillard et sortit. Il marcha aussi vite que le lui permettait l'irrégularité des pavés de l'étroite ruelle, car il croyait le vieux capable d'envoyer un de ses mendiants à l'auberge prévenir Seng Kiou de l'arrivée d'un séide du tribunal.

L'Auberge des Nuages bleus était un endroit sordide, coincé entre la boutique d'un marchand de poissons et celle d'un marchand de légumes. Au bas de l'étroit escalier à peine éclairé, un gros homme somnolait dans un fauteuil de bambou. Lui enfonçant brutalement son index osseux dans les côtes, Tao Gan grommela :

— Je veux voir Seng Kiou !

— Vous pouvez le voir tant que vous voudrez et vous le garder ! En haut, deuxième porte ! Et demandez-lui donc quand est-ce qu'il paiera son loyer !

Comme Tao Gan s'apprêtait à monter, l'homme,

qui venait de remarquer combien le lieutenant du juge avait l'air frêle, cria :

— Attendez ! Regardez un peu ma tête !

Tao Gan découvrit qu'il avait l'œil gauche fermé et la joue enflée et marbrée.

— Vous direz merci à Seng Kiou de ma part ! fit l'homme. Cette peau de vache !

— Combien sont-ils ?

— Trois. Seng Kiou, sa sœur et leur ami Tchang ; une vraie peau de vache, lui aussi. Il y en avait un quatrième, mais il a décampé.

Tao Gan hocha la tête. Tout en gravissant l'escalier, il esquissa un sourire : il pensait avoir découvert la raison de l'amusement du Chef des Mendiants. Il s'occuperait également de ce gredin un de ces jours...

Après qu'il eut frappé violemment à la porte indiquée, une voix rauque retentit à l'intérieur :

— T'auras ton fric demain, fils de chien !

Tao Gan poussa la porte et entra. De chaque côté de la pièce, nue et sordide, deux lits de bois étaient poussés contre le mur. Sur celui de droite était allongé une espèce de géant en pantalon et veste bleus rapiécés. Il avait un visage large, bouffi, bordé d'une barbe courte et hérissée. Ses cheveux étaient retenus par un bout de chiffon sale. Sur l'autre lit, un homme grand et maigre ronflait bruyamment, les bras repliés sous sa tête aux cheveux ras. Devant la fenêtre, une jolie jeune fille reprisait une veste. Elle portait pour tout vêtement un pantalon, et son buste apparaissait dans sa charmante nudité.

— Je pourrais peut-être vous aider pour le loyer, Seng Kiou... fit Tao Gan en désignant la fille du menton.

Le géant se leva d'un bond et considéra Tao Gan de la tête aux pieds de ses petits yeux injectés de

48

sang, en se grattant son torse velu. Tao Gan remarqua qu'il lui manquait un bout du petit doigt. Son examen terminé, le géant demanda d'un ton bourru :

— Combien ?

— Cinquante sapèques.

Seng Kiou réveilla son acolyte d'un coup de pied dans la jambe.

— Cet aimable monsieur, expliqua-t-il, propose gentiment de nous prêter cinquante sapèques, sur notre bonne mine. Le seul ennui, c'est que je n'aime pas ça !

— Prends-lui son fric et fiche-le dehors ! dit la fille à son frère. Inutile de le frapper, cet épouvantail est assez vilain comme ça !

Le géant se retourna vers elle.

— C'est pas tes affaires ! hurla-t-il. Tu la fermes et tu ne l'ouvres plus, compris ! Tu as saboté le travail avec l'oncle Twan, t'as même pas été capable de mettre la main sur son émeraude ! Bonne à rien de catin !

La fille se leva avec une rapidité stupéfiante et lui envoya un violent coup de pied dans les tibias. Aussitôt l'homme la frappa d'un coup de poing dans le ventre. Elle se plia en deux, le souffle coupé. Mais ce n'était qu'une feinte et lorsqu'il s'approcha d'elle, elle plongea brutalement la tête au creux de son estomac. Comme il vacillait en arrière, elle arracha une longue épingle à cheveux de son chignon et demanda haineusement :

— Tu veux que je t'enfonce ça dans la panse, cher frère ?

Tao Gan était en train de se demander comment faire pour emmener tout ce beau monde au tribunal. Comme ils ne connaissaient probablement pas très bien la ville, il pensa pouvoir y parvenir sans trop de peine.

« *C'est une affaire privée* », *dit Tao Gan.*

— Je te réglerai ton compte plus tard, toi ! promit Seng Kiou à sa sœur.

Et à son acolyte :

— Attrape ce salopard, Tchang !

Tandis que Tchang maintenait les bras de Tao Gan derrière le dos d'une poigne d'acier, Seng Kiou le fouilla minutieusement.

— Cinquante sapèques, pas une de plus ! fit-il avec dégoût. Tiens-le bien que je lui apprenne à ne plus venir troubler notre sommeil !

Saisissant une longue canne de bambou posée dans un coin, il s'apprêtait à en frapper Tao Gan sur la tête quand il se tourna brusquement et en assena l'extrémité sur le postérieur de sa sœur, de nouveau penchée sur sa veste. Elle fit un bond de côté en poussant un cri de douleur. Son frère éclata d'un rire sonore, avant de se baisser promptement pour éviter la paire de ciseaux qu'elle lui lançait à la tête.

— Je suis désolé de vous interrompre, fit sèchement Tao Gan, mais il y a une affaire de cinq pièces d'argent dont je voudrais vous parler.

Le géant, qui était aux prises avec sa sœur, la relâcha aussitôt et se retourna pour haleter :

— Vous avez dit cinq pièces d'argent ?

— C'est une affaire privée, juste entre vous et moi.

Seng Kiou fit signe à Tchang de relâcher Tao Gan. L'homme maigre conduisit le grand voyou dans un coin de la pièce.

— Je me soucie de ta sœur comme d'une guigne, chuchota Tao Gan. C'est mon maître qui m'envoie !

Seng Kiou pâlit sous son hâle.

— C'est le Boulanger qui veut cinq pièces d'argent ? Juste ciel, il est tombé sur la tête ! Comment... ?

— Je ne connais pas de boulanger, repartit Tao Gan avec agacement. Mon maître est un gros propriétaire, un riche débauché qui paie grassement ses petits plaisirs. Il en a assez des demoiselles raffinées du Quartier du Saule. Maintenant, il les lui faut bien en chair et nature. C'est moi qui les lui trouve. Il a entendu parler de ta sœur et m'a chargé de te proposer cinq pièces d'argent pour l'avoir chez lui deux jours.

Seng Kiou avait écouté avec un étonnement croissant.

— Tu es fou ? s'écria-t-il brusquement. Aucune femme au monde ne mérite que l'on paie une telle somme !

Il réfléchit intensément un moment en fronçant les sourcils avant de s'exclamer :

— Ta proposition me paraît louche, frère ! Je tiens à retrouver ma sœur entière. J'ai l'intention de lui faire une situation, tu comprends, pour qu'elle me rapporte des revenus réguliers.

Tao Gan haussa ses frêles épaules.

— Parfait. Il y a beaucoup d'autres petites vagabondes en goguette. Rends-moi mes cinquante sapèques et je m'en vais.

— Hé là ! pas si vite !

Le géant se frotta le visage.

— Cinq pièces d'argent... Ça veut dire la belle vie pendant au moins un an, sans avoir à lever le petit doigt pour travailler ! Bon, après tout, ce n'est pas très grave si elle est traitée un peu énergiquement. Elle a la peau dure, et peut-être que ça lui fera du bien. D'accord, affaire conclue ! Mais Tchang et moi, on l'accompagne ; je veux savoir où elle va et avec qui.

52

— Pour que vous fassiez chanter mon maître par la suite, hein ? Pas question !

— Alors, tu mens ! Tu vas me la vendre à un bordel, espèce de rat !

— Très bien, alors venez avec moi voir vous-mêmes. Mais ne m'en veux pas si mon maître se met en colère et vous fait rosser par ses hommes. Payez-moi vingt sapèques pour ma commission.

Après d'interminables marchandages, ils tombèrent d'accord sur dix sapèques. Seng Kiou rendit ses cinquante sapèques à Tao Gan, puis lui en donna dix autres. L'homme au visage émacié les glissa dans sa manche avec un sourire satisfait : il avait récupéré l'argent qu'il venait de donner au Chef des Mendiants.

— Le maître de ce type veut nous offrir à boire, annonça Seng Kiou à Tchang et à sa sœur. Allons-y pour voir.

Ils entrèrent en ville par la grand-route, après quoi Tao Gan les conduisit par un dédale de petites ruelles jusqu'à l'arrière d'un grand bâtiment de pierres grises. Comme il ouvrait la petite porte de fer avec une clé sortie de sa manche, Seng Kiou, impressionné, remarqua :

— Il doit rouler sur l'or, ton maître, ma parole ! Sérieuse propriété !

— Très sérieuse, en effet, approuva Tao Gan. Et ce n'est que l'entrée de service, figurez-vous. Vous devriez voir l'entrée principale, c'est quelque chose !

Ce que disant, il les introduisit dans un long couloir et referma soigneusement la porte derrière lui.

— Attendez-moi ici un instant, je vais prévenir mon maître !

Et le lieutenant du juge Ti disparut.

— Cet endroit ne me dit rien qui vaille ! s'exclama

la jeune fille au bout d'un moment. C'est peut-être un traquenard...

Au même instant, six gardes armés débouchaient dans le couloir. Tchang poussa un juron et saisit son couteau.

— Attaque-nous, je t'en prie! ricana le chef des sbires en brandissant son épée. Comme ça on aura une prime pour t'avoir raccourci!

— Laisse tomber, Tchang! conseilla le géant à son ami d'un ton dégoûté. Ces fils de chien sont des tueurs à gages. Ils sont payés à tuer les pauvres!

La fille essaya d'échapper au chef des sbires qui la rattrapa en un clin d'œil et l'enchaîna aussitôt. Puis la bande des trois fut conduite en prison, dans le bâtiment contigu.

Après avoir couru au corps de garde et ordonné au chef des sbires d'aller arrêter immédiatement deux vagabonds et leur amie qui attendaient près de la porte de service, Tao Gan se rendit droit au tribunal et demanda au chef des sbires où se trouvait le juge Ti.

— Son Excellence est dans son bureau, Monsieur Tao. Depuis le riz de midi, il a interrogé un bon nombre de gens. Au moment même où ils repartaient, le jeune Monsieur Leng, le fils du prêteur sur gages, s'est présenté et a demandé à être reçu par le magistrat. Il n'est toujours pas ressorti.

— Que vient faire ici ce jeune homme? Il ne figurait pas sur la liste des personnes que le juge désirait interroger.

— Je crois qu'il est venu s'enquérir des raisons de la détention de son père, Monsieur Tao. Il vous intéressera peut-être de savoir qu'avant d'entrer il a posé aux gardes en faction toutes sortes de questions au sujet du mort que l'on a retrouvé ce matin dans la cabane forestière. Vous devriez en avertir le juge.

— Oui, je vous remercie. Ces gardes ne sont pourtant pas là pour renseigner les gens !

Le vieux scribe haussa les épaules.

— Ils connaissent tous le jeune Leng. Ils se rendent souvent chez son père vers la fin du mois pour mettre en gage ce qu'ils peuvent, et le jeune homme est toujours très correct avec eux. En outre, dans la mesure où tout le personnel du tribunal a vu le corps, ce n'est plus un secret pour personne.

Tao Gan hocha la tête puis se dirigea vers le cabinet du juge.

Assis derrière son bureau, le magistrat portait à présent une confortable robe de fin coton gris et un bonnet carré noir. En face de lui se tenait un grand jeune homme de vingt-cinq ans environ, en robe brune irréprochable et bonnet plat noir. Ses traits étaient beaux bien que réservés.

— Prends un siège, Tao Gan, dit le juge. Voici le fils aîné de Monsieur Leng. Il s'inquiétait de l'arrestation de son père. Je viens de lui expliquer que je le soupçonne d'être impliqué dans le meurtre d'un vieux vagabond, et que l'affaire passera à l'audience de ce soir. C'est tout ce que je puis faire pour vous, Monsieur Leng. Je dois à présent mettre un terme à notre entretien, car j'ai des choses importantes à voir avec mon lieutenant.

— Il est matériellement impossible que mon père ait commis un meurtre hier soir, Noble Juge, répondit calmement le jeune homme.

— Et pourquoi donc ?

— Pour la simple raison qu'il était ivre mort, Excellence. Je lui ai moi-même ouvert la porte quand Monsieur Wang l'a ramené. Mon père avait eu un malaise et le fils de Monsieur Wang a dû le porter jusque dans la maison.

— Parfait, Monsieur Leng. Je tiendrai compte de votre déclaration.

Le jeune Leng n'était visiblement pas prêt à prendre congé. S'éclaircissant la gorge, il reprit d'un ton nettement plus embarrassé cette fois :

— Je crois avoir vu les assassins, Excellence.

Le juge Ti se pencha en avant dans son fauteuil.

— Faites-moi un récit complet de ce que vous avez vu ! ordonna-t-il vivement.

— Eh bien, Excellence, le bruit court que l'on a trouvé ce matin le cadavre d'un vagabond dans une cabane abandonnée, dans la forêt. Puis-je vous demander si cela est exact ?

Comme le juge acquiesçait, il poursuivit :

— Hier soir, la lune étant belle et l'air frais, j'ai eu envie d'aller faire une petite promenade. J'ai pris le sentier derrière chez nous qui descend dans la forêt. Après le second tournant, j'ai vu deux personnes un peu plus loin devant moi. Je ne les voyais pas très bien, mais l'une m'a semblé très grande et portait un lourd fardeau sur les épaules. L'autre était petite et plutôt menue. Dans la mesure où toutes sortes d'individus louches rôdent dans la forêt la nuit, je décidai d'interrompre ma promenade et de rentrer chez moi. Lorsque j'ai entendu parler du vagabond trouvé mort, j'ai pensé que le fardeau que portait le grand pouvait bien être le cadavre.

Tao Gan essaya de capter le regard du juge, car la description de Leng correspondait exactement à Seng Kiou et à sa sœur. Mais le juge ne quittait pas des yeux son visiteur, quand brusquement il s'exclama :

— Cela signifie que je peux libérer votre père sur-le-champ et vous arrêter comme suspect à sa place !

Car vous venez de prouver indubitablement que si votre père, lui, n'a pas pu physiquement commettre ce crime, en revanche, vous en avez eu la possibilité absolue !

Le jeune homme regarda le juge, confondu et médusé.

— Je n'ai rien fait ! s'écria-t-il. Je peux le prouver, j'ai un témoin qui...

— C'est bien ce que je pensais ! Vous n'étiez pas seul ! Un jeune homme comme vous ne va pas se promener tout seul la nuit dans la forêt. Ce n'est que bien plus tard que l'on découvre ce genre de plaisir. Parlez, qui était la fille ?

— La femme de chambre de ma mère, répondit le jeune homme en rougissant. Nous n'avons guère l'occasion de nous voir à la maison, naturellement. Nous nous retrouvons donc parfois dans la cabane, en bas de la colline. Elle peut confirmer que nous sommes bien allés ensemble dans la forêt, mais elle ne pourra rien vous dire de plus sur les gens que j'ai aperçus, car je marchais devant et elle n'a pas pu les voir.

Jetant un regard timide au juge, il ajouta :

— Nous avons l'intention de nous marier, Excellence. Mais si mon père venait à apprendre que...

— Parfait. Allez voir le chef des scribes pour qu'il prenne votre déposition. Je n'en ferai usage qu'en cas de nécessité absolue. Vous pouvez disposer !

Comme le jeune homme s'apprêtait à prendre congé, Tao Gan demanda :

— La personne la plus petite pourrait-elle être une jeune fille ?

Le jeune Leng se gratta pensivement la tête.

— Euh... je ne les ai pas très bien vus, savez-vous.

Mais maintenant que vous me posez la question... oui, ç'aurait pu être une femme, je crois.

A peine le jeune homme sorti, Tao Gan s'exclama avec excitation :

— Tout est clair à présent, Excellence ! Je...

Le juge Ti leva la main.

— Un instant, Tao Gan. Nous devons traiter cette affaire avec méthode. Je vais commencer par te livrer le résultat de mes vérifications de routine. Premièrement, l'employé de Leng est un personnage parfaitement répugnant. Un interrogatoire serré a révélé qu'après qu'il eut vu la fille poser la bague sur le comptoir, Leng lui a ordonné de s'éclipser. D'autres clients sont arrivés, et ensuite il a simplement vu la fille reprendre la bague et sortir. Il a inventé leur petit conciliabule à seule fin de faire passer son patron pour un débauché. Quant à ses fraudes fiscales, il n'a pu répéter que de vagues on-dit. J'ai renvoyé ce lascar en lui rappelant qu'il existait une loi contre la diffamation et j'ai fait venir le Maître de la Guilde des Banquiers. Il m'a dit que Monsieur Leng est effectivement riche et qu'il aime la bonne vie. Il ne répugne pas à l'occasion à quelques indélicatesses — il faut se méfier de lui en affaires —, mais il prend bien soin de ne pas enfreindre les lois. Par ailleurs, il voyage pas mal et passe la majeure partie de son temps dans le district voisin de Tchiang-pei ; et le Maître de Guilde ignore évidemment tout de ses activités là-bas. Deuxièmement, il est exact que Leng se soit consciencieusement enivré avec son ami l'orfèvre. Troisièmement, le chef des sbires a retrouvé deux des jeunes voyous qui ont injurié Leng. Ils ont affirmé que c'était la première fois que ce dernier voyait le vieux vagabond et qu'il ne fut aucunement question de filles lors de leur altercation. Leng a effectivement poussé le vieillard, mais il s'est relevé aussitôt après son départ en chaise à porteurs. Il l'a traité de maudit despote puis est parti. Enfin, ces garçons ont fait une étrange remarque : ils ont dit que le vieil homme ne s'exprimait aucunement comme un vagabond, mais comme un homme d'une certaine éducation. J'avais l'intention de demander à Monsieur Wang si Leng était bien ivre en rentrant chez lui, mais après les déclarations de son fils, cela ne me semble plus nécessaire.

Le juge vida sa tasse de thé avant d'ajouter :

— Maintenant, raconte-moi comment cela s'est passé en ville.

— Je dois tout d'abord vous dire, Excellence, que le jeune Leng a interrogé les gardes sur la découverte du cadavre du vagabond avant de venir vous voir. Toutefois, cela me paraît sans importance à présent, car j'ai la preuve qu'il n'a pas inventé l'histoire des deux personnes qu'il a vues dans la forêt.

— Je n'ai pas pensé qu'il mentait, répondit le juge en hochant la tête. Le garçon m'a eu l'air très honnête. Il vaut mille fois mieux que son père !

— Les gens qu'il a vus sont certainement un truand du nom de Seng Kiou et sa sœur — une jeune fille étonnamment belle. Le Chef des Mendiants m'a indiqué l'auberge où ils logeaient en compagnie d'un autre vaurien, Tchang. Il y en avait encore un quatrième, mais il est parti. J'ai entendu Seng Kiou reprocher à sa sœur d'avoir saboté ce qu'il appelait « le travail avec l'oncle Twan » et de n'avoir pas réussi à obtenir l'émeraude. De toute évidence, l'oncle Twan est notre vagabond mort. Ils sont tous trois d'un autre district, mais ils connaissent un chef de bande d'ici, appelé le Boulanger. Je les ai fait enfermer tous les trois en prison.

— Admirable ! s'exclama le juge Ti. Et comment y es-tu parvenu aussi vite ?

— Oh ! répondit Tao Gan d'un ton détaché, je leur ai dit qu'il y avait moyen de gagner facilement quelque argent ici, et ils m'ont suivi de bon cœur. En ce qui concerne mon hypothèse au sujet de Leng, Excellence, vous aviez raison de la trouver prématurée ! Leng n'a rien à voir avec le meurtre. Ce n'est que pure coïncidence s'il a croisé deux fois de suite les voyous. Tout d'abord lorsque la jeune fille est venue faire estimer la bague, puis quand le vieux vagabond s'est insurgé contre la manière dont il traitait les jeunes coquins.

Le juge ne fit aucun commentaire. Il se tiraillait pensivement la moustache quand soudain il remarqua :

— Je n'aime pas les coïncidences, Tao Gan. Je reconnais qu'il peut s'en produire de temps en temps, mais je commence toujours par m'en méfier. A propos, tu disais que Seng Kiou avait parlé d'un chef de bande surnommé le Boulanger. Avant de l'interroger, je voudrais que tu demandes au chef des sbires ce qu'il sait de cet individu.

Une fois Tao Gan sorti, le juge Ti se servit une nouvelle tasse de thé gardé au chaud dans un panier ouatiné, sur le bureau. Il songeait à la manière dont son lieutenant avait bien pu réussir à attirer ces trois lascars au tribunal. « Il s'est montré étonnamment évasif lorsque je lui ai posé la question », se dit-il en souriant. « Il a dû encore une fois leur jouer un de ces tours dont il a le secret ! Enfin, tant que c'est pour la bonne cause... »

Tao Gan refit son entrée dans le cabinet du magistrat.

— Le chef des sbires connaissait très bien de nom

le Boulanger, Excellence. Mais il n'est pas d'ici ; c'est un truand notoire du district de Tchiang-pei. Ce qui signifie que Seng Kiou en est lui aussi originaire.

— Et notre ami Monsieur Leng y fait de fréquents séjours, ajouta lentement le juge. Cela fait décidément beaucoup trop de coïncidences à mon goût, Tao Gan ! Bon, je vais interroger ces individus séparément, en commençant par Seng Kiou. Demande au chef des sbires de le conduire à la morgue, sans lui montrer le corps évidemment. Je les y rejoins tout de suite.

En entrant dans la pièce, le juge Ti découvrit la haute silhouette de Seng Kiou, encadré de deux sbires, devant la table sur laquelle reposait le corps, recouvert d'une natte. Une odeur nauséabonde régnait dans la pièce vide. Le juge se dit qu'il ne faudrait pas y laisser trop longtemps le cadavre par ces chaleurs. Soulevant la natte, il demanda à Seng Kiou :

— Connais-tu cet homme ?

— Juste ciel, c'est lui ! s'écria Seng.

Le juge Ti glissa les mains dans ses vastes manches.

— Oui, c'est le cadavre du vieil homme que tu as cruellement assassiné, déclara-t-il avec rudesse.

Comme le voyou répondait par une bordée d'injures variées, le sbire à sa droite lui assena un coup de son lourd gourdin sur la tête.

— Avoue ! lui hurla-t-il dans les oreilles.

Le coup ne sembla pas avoir particulièrement troublé le colosse qui se contenta de secouer la tête avant de s'écrier :

— Je ne l'ai pas tué ! Le vieil imbécile était encore bel et bien vivant en quittant l'auberge hier au soir !

— Qui était-ce ?

— Un riche excentrique, du nom de Twan Mou-tsaï ; propriétaire d'une grande pharmacie à la capitale.

— Un riche apothicaire ? Quel genre d'affaires faisait-il avec toi ?

— Il en pinçait pour ma sœur, ce vieux fou ! Il voulait devenir membre de notre bande !

— N'essaye pas de me faire avaler n'importe quelle sornette, mon ami ! répondit froidement le juge Ti.

Comme le sbire brandissait de nouveau son gourdin, Seng esquiva adroitement le coup.

— C'est la vérité, fit-il, je le jure ! Il était fou amoureux de ma sœur ! Il était même prêt à payer pour se joindre à nous ! Mais ma sœur, cette imbécile de garce, ne voulait pas accepter une seule de ses sapèques. Et voyez maintenant dans quels draps elle nous a mis, cette petite catin obstinée ! Un meurtre, rien que ça !

Le juge Ti lissa sa longue barbe. L'homme était certes une brute épaisse, mais il avait l'air sincère. Interprétant son silence comme un signe d'incrédulité, Seng Kiou poursuivit d'une voix lamentable :

— La frangine et moi, on n'a jamais tué personne, Noble Seigneur ! On a peut-être ramassé au passage un poulet ou un cochon égarés, ou emprunté à un voyageur une poignée de sapèques — ce sont des choses qui arrivent lorsque l'on doit gagner sa vie sur les routes. Mais nous n'avons jamais tué personne, croyez-moi. Et pourquoi aurais-je tué oncle Twan, entre tous ? Je vous ai dit qu'il me donnait de l'argent, pas vrai ?

— Ta sœur est-elle une prostituée ?

— Une quoi ? demanda Seng d'un air méfiant.

— Une putain.

— Ah, ça !

Seng se gratta la tête puis répondit en pesant ses mots :

— Eh bien, à vrai dire, Noble Seigneur, oui et non. Quand on a vraiment besoin d'argent, il lui arrive de racoler un gars. Mais la plupart du temps, elle ne choisit que les garçons qui lui plaisent, et ils l'ont pour rien, gratis. Un capital mort, voilà ce qu'elle est, Noble Seigneur ! Si encore elle était déclarée, elle rapporterait au moins de l'argent ! Si vous aviez la gentillesse de m'expliquer, Noble Seigneur, comment faire pour lui obtenir les papiers nécessaires, vous savez, ces choses où il est écrit qu'elle a le droit de faire les rues et...

— Contente-toi de répondre à mes questions ! coupa le juge avec humeur. Parle, depuis quand travailles-tu pour Leng, le prêteur sur gages ?

— Un prêteur sur gages ? Pas moi, Noble Juge ! Je ne traite jamais avec ces sangsues ! Mon patron est Liou, le Boulanger, de Tchiang-pei. Il habite au-dessus de la taverne, près de la porte de l'Ouest. C'était notre patron, en fait. On s'est rachetés, moi, ma sœur et Tchang.

Le juge Ti hocha la tête. Il savait que selon la loi tacite du milieu, le membre assermenté d'une bande peut rompre les relations avec son chef en payant une certaine somme d'argent, de laquelle sont déduits son droit d'entrée initial et sa part des gains de la bande. Ce genre de règlement de comptes donnait souvent lieu à de fréquentes querelles.

— Le marché s'est-il conclu à la satisfaction des deux parties ? demanda-t-il.

— Eh bien, il y a eu quelques problèmes, Noble Seigneur. Le Boulanger a essayé de nous voler, ce fils de chien ! Mais oncle Twan, c'était un véritable sorcier pour les chiffres. Il prend un morceau de papier, fait quelques opérations et prouve au Boulanger qu'il s'est complètement trompé. Le Boulanger n'a pas apprécié, mais il y avait deux autres gars qui avaient tout compris, et qui ont dit qu'oncle Twan avait raison. Alors le Boulanger nous a laissés partir.

— Je vois ; et pourquoi désiriez-vous quitter la bande du Boulanger ?

— Parce qu'il commençait à se croire quelqu'un et qu'il acceptait des boulots qu'on n'aimait pas. Des boulots au-dessus de nos moyens, pour ainsi dire. L'autre jour, il a voulu qu'on l'aide, Tchang et moi, à passer deux coffres de l'autre côté de la frontière. J'ai dit non, ça jamais. Primo, si on se fait pincer, on en prendra pour gros. Deuzio, les types qui exécutent ce genre de boulot pour le Boulanger meurent en général tous d'accident peu après. C'est vrai qu'il arrive des accidents, mais il en arrive un peu trop souvent à mon goût.

Le juge jeta un regard entendu à Tao Gan.

— Lorsque toi et Tchang avez refusé, qui s'est chargé du boulot ?

— Ying, Meng et Lau, s'empressa de répondre Seng.

— Où sont-ils à présent ?

Seng se passa le pouce en travers de la gorge.

— De simples accidents, figurez-vous ! fit-il avec un sourire, mais une lueur de peur brillait dans ses petits yeux.

— A qui devaient être remis ces coffres ? insista le juge.

Le truand haussa ses larges épaules.

— Qui sait ! J'ai vaguement entendu le Boulanger parler à Ying d'un gros richard qui possède un grand magasin, ici, sur la place du marché. J'ai pas posé de questions, ce n'était pas mon problème ; moins j'en sais, mieux je me porte. Et oncle Twan a dit que j'avais bougrement raison.

— Où étais-tu hier soir ?

— Moi ? Je suis allé avec Tchang et ma sœur à *la Carpe rouge* manger un morceau et faire une partie de dés. Oncle Twan a dit qu'il allait dîner dehors ; il n'aimait pas jouer aux dés. Quand on est rentrés, à minuit, il n'était toujours pas là. Le pauvre vieux s'est fait casser la figure ! Il n'aurait pas dû sortir seul dans une ville qu'il ne connaissait pas !

Le juge Ti sortit la bague à l'émeraude de sa manche.

— Tu as déjà vu cet objet ? demanda-t-il.

— Bien sûr ! C'était la bague d'oncle Twan. Il la tenait de son père. « Demande-lui de te la donner », j'avais dit à ma sœur. Mais elle a refusé. C'est pas de veine, Noble Seigneur, d'être affligé d'une sœur pareille !

— Remmène cet homme dans sa cellule ! ordonna le juge au chef des sbires. Et demande à l'intendante de conduire Mademoiselle Seng à mon cabinet.

Alors qu'ils traversaient la cour, le juge, en proie à la plus vive excitation, dit à Tao Gan :

— Tu as fait une très jolie prise ! C'est notre premier élément majeur dans cette affaire de contrebande. Je vais envoyer immédiatement un messager spécial à mon collègue de Tchiang-pei pour lui demander d'arrêter le Boulanger. Il révélera le nom de son commanditaire et de celui à qui les coffres devaient être livrés. Il n'y aurait rien d'étonnant à ce que ce dernier se révèle être notre ami Leng, le prêteur sur gages ! Il est riche, propriétaire d'un grand magasin sur la place du marché et se rend régulièrement à Tchiang-pei !

— Croyez-vous que Seng Kiou soit réellement innocent du meurtre de Twan, Excellence ? Ce que le fils de Leng nous a raconté semble s'appliquer parfaitement à lui et à sa sœur.

— Nous le saurons lorsque nous aurons découvert la vérité sur l'énigmatique Twan Mou-tsaï, Tao Gan. J'ai eu l'impression que Seng Kiou nous a dit tout ce qu'il savait. Mais il y a probablement beaucoup de choses qu'il ignore. Nous allons voir ce que va déclarer sa sœur.

Ils étaient arrivés au greffe du tribunal. Le chef des scribes se leva précipitamment et se porta à leur rencontre, en tendant un papier au juge.

— J'ai entendu incidemment Monsieur Tao Gan s'enquérir auprès du chef des sbires sur un truand nommé Liou, le Boulanger, Excellence. Ce rapport de routine sur les affaires du tribunal de Tchiang-pei vient d'arriver. Il contient un passage concernant cet individu.

Le juge Ti parcourut rapidement le document puis le tendit à Tao Gan en s'exclamant avec humeur :

— Quel manque de chance ! Tiens, lis ça, Tao Gan ! Le Boulanger a été tué hier dans une rixe d'ivrognes !

Le juge entra dans son cabinet en agitant furieusement ses manches.

Une fois assis à son bureau, il regarda sombrement Tao Gan et lui dit d'un air abattu :

— Je pensais que nous en étions presque arrivés à résoudre cette affaire ! Et nous voici revenus à notre point de départ. Les trois hommes susceptibles de nous apprendre à qui était destinée la contrebande ont été assassinés par le Boulanger. Il n'est guère étonnant que Ma Jong et Tsiao Taï n'aient pas réussi à les retrouver ! Leurs cadavres doivent pourrir dans un puits ou être enterrés au pied d'un arbre, dans la forêt... Quant au Boulanger, le seul à pouvoir nous révéler les noms des chefs de bande, il a fallu qu'il se fasse tuer ! ajouta le juge en se tirant rageusement la barbe.

Tao Gan enroulait consciencieusement les trois longs poils de sa verrue sur son maigre index.

— Peut-être qu'un interrogatoire serré des complices du Boulanger, à Tchiang-pei pourrait... commença-t-il au bout d'un moment.

— Non, trancha sèchement le juge. Le Boulanger s'est débarrassé de tous ceux qui ont exécuté le sale boulot pour son compte. Le fait qu'il ait pris cette mesure extrême prouve qu'il avait reçu de son commanditaire l'ordre de garder parfaitement secret tout ce qui se rapportait à la contrebande.

Sortant son éventail de sa manche, il l'agita énergiquement avant de reprendre :

— Le meurtre de Twan a certainement un rapport étroit avec cette affaire. J'ai la nette impression que si nous parvenons à élucider ce crime, nous obtiendrons la clé de l'énigme de ce réseau de contrebandiers. Entrez !

On avait frappé à la porte. Une femme grande et maigre, vêtue d'une sobre robe brune et portant sur la tête un carré de tissu noir, pénétra dans le cabinet particulier en poussant devant elle une svelte jeune fille.

— Voici Mademoiselle Seng, Excellence, annonça l'intendante d'une voix rauque.

Le juge Ti jeta un regard pénétrant à la jeune fille qui le lui rendit avec arrogance, fixant sur le magistrat de grands yeux vifs. Son visage ovale et hâlé était d'une beauté frappante. Elle n'était pas maquillée et n'en avait d'ailleurs aucun besoin. Sa petite bouche était vermeille, ses longs sourcils, au-dessus d'un nez finement dessiné, possédaient une gracieuse courbe naturelle, et ses cheveux, pendant en deux tresses sur ses épaules, étaient longs et soyeux. La misérable veste bleue et le pantalon rapiécé semblaient déplacés sur une jeune fille aussi belle. Elle resta debout devant le bureau, les mains glissées dans la cordelière qui lui tenait lieu de ceinture.

Après l'avoir observée un long moment, le juge déclara calmement :

— Nous essayons de découvrir d'où vient Monsieur Twan Mou-tsaï. Dites-moi où et comment vous l'avez rencontré.

— Si vous croyez que vous allez pouvoir tirer quoi que ce soit de moi, Monsieur le Fonctionnaire, lança-t-elle, vous faites la plus belle erreur de votre vie !

L'intendante s'avança pour la gifler, mais le juge intervint à temps.

— Vous vous trouvez devant votre magistrat, Mademoiselle Seng, reprit-il sans se départir de son calme. Vous devez répondre à mes questions, savez-vous.

— Vous croyez que j'ai peur du fouet ? Vous pouvez me battre tant que vous voudrez, je tiendrai bon.

— Vous ne serez pas fouettée, intervint Tao Gan à ses côtés. En dehors de l'affaire de l'oncle Twan, vous êtes coupable de vagabondage et de prostitution sans licence. Vous allez être marquée au fer sur les deux joues.

La jeune fille pâlit instantanément.

— Ne vous en faites pas, reprit Tao Gan d'un ton bonhomme. En mettant suffisamment de poudre, les traces ne se verront pas. Pas trop, tout du moins.

La jeune fille se tenait raide devant le juge, l'air effaré. Puis elle haussa les épaules.

« *Je n'ai rien fait de mal* », dit-elle.

— Je n'ai rien fait de mal, dit-elle. Et je ne crois pas une seconde qu'oncle Twan ait dit du mal de moi. Sûrement pas ! Où je l'ai rencontré ? A la capitale, il y a un an environ. Je m'étais blessée à la jambe et je suis entrée dans son magasin pour m'acheter un emplâtre. Il se trouvait par hasard au comptoir et a engagé la conversation très amicalement. C'était la première fois qu'un riche s'intéressait à moi sans commencer aussitôt à me faire les propositions que vous imaginez, et c'est ce qui m'a plu chez lui. J'ai accepté de le revoir le soir même, et puis une chose en entraînant une autre, si vous voyez ce que je veux dire... C'est un vieux monsieur, bien sûr, la cinquantaine, à mon avis. Mais c'est un véritable gentilhomme, qui parle bien et se montre toujours disposé à écouter mon bavardage.

La jeune fille se tut et regarda le juge en attendant qu'il intervînt.

— Combien de temps cela a-t-il duré ? demanda-t-il.

— Deux semaines. Ensuite, j'ai dit à oncle Twan qu'il fallait se dire au revoir, car on allait partir pour ailleurs. Il a voulu me donner une pièce d'argent, mais j'ai refusé ; je ne suis pas une putain, heureusement, bien que mon frère n'attende que ça, ce paresseux de maquereau ! Voilà comme ça s'est passé. Mais trois semaines plus tard, on était à Kouang-yeh, Twan a déboulé dans notre auberge. Il m'a dit qu'il voulait faire de moi sa seconde épouse, et qu'il ferait à mon frère un somptueux cadeau, en espèces.

Elle s'essuya le visage du revers de la manche, tira sur sa veste et reprit :

— J'ai répondu à Twan que je lui en étais reconnaissante, mais que je ne voulais pas d'argent, ni rien d'autre. Je voulais ma liberté, un point c'est tout ; et je n'ai aucune envie de me retrouver enfermée entre quatre murs, de dire Madame à sa Première Epouse et de tarabuster les servantes du matin au soir. Twan s'en est allé, le pauvre vieux était tout triste. Moi aussi, car après ça je me suis bagarrée avec mon frère et il m'a fait des bleus partout ! Bon, le mois suivant, on était dans un village en amont du fleuve, non loin de Tchiang-pei, le vieux Twan réapparaît. Il dit qu'il a vendu son commerce à son associé et qu'il a décidé de se joindre à nous. Mon frère lui répond qu'il est le bienvenu du moment qu'il lui verse une rente régulière, car on n'a rien sans rien, qu'il dit. J'ai dit à mon frère qu'il n'en était pas question. Twan peut nous suivre et il peut dormir avec moi quand ça lui chante. Mais je ne veux pas une sapèque de lui. Mon frère entre dans une rage folle, il m'attrape avec Tchang et me baisse mon pantalon. Ils m'auraient sérieusement battue si Twan ne s'était pas interposé. Il a pris mon frère à part et ils sont parvenus à une sorte d'arrangement. Enfin, si Twan désire payer mon frère pour qu'il lui apprenne tous les secrets du vagabondage, c'est son problème. Alors Twan s'est joint à nous et cela fait presque un an qu'il nous suivait, jusqu'à hier soir.

— Vous voulez dire, s'étonna le juge, que Monsieur Twan, riche commerçant habitué au luxe de la capitale, a partagé votre vie et couru les routes comme un vulgaire vagabond ?

— Mais naturellement ! Et il aimait ça, je vous assure. Il m'a répété cent fois qu'il n'avait jamais été aussi heureux. Il commençait à en avoir assez de la vie à la capitale. Ses femmes étaient parfaites lorsqu'elles étaient jeunes, mais à présent elles n'arrêtaient plus de se chamailler ; ses fils étaient grands et ne cessaient d'intervenir dans ses affaires, passant leur temps à vouloir lui apprendre à gérer son commerce. Il avait beaucoup aimé sa fille unique, mais elle avait épousé un marchand du Sud, et il ne la voyait plus. En outre, disait-il, il était obligé d'aller dans des réceptions tous les soirs, et cela lui avait donné des maux d'estomac. Avec nous, il n'a plus jamais eu mal, paraît-il. Et puis Tchang lui a appris à pêcher et Twan adorait ça. Il se débrouillait bien d'ailleurs.

Le juge observa la jeune fille en se tirant la moustache.

— J'imagine que Monsieur Twan allait voir ses nombreuses relations d'affaires dans les villes que vous traversiez ?

— Absolument pas ! Il disait qu'il ne voulait plus entendre parler de tout ça. A l'occasion, il passait voir un de ses collègues, quand il avait besoin d'argent.

— Est-ce que Monsieur Twan se déplaçait avec d'importantes sommes d'argent ?

— Faux encore ! A mon sujet, il était complètement toqué, mais à part ça oncle Twan était un redoutable homme d'affaires, croyez-moi ! Il n'avait jamais plus d'une poignée de sapèques dans sa manche. Mais chaque fois que l'on arrivait dans une grande ville, il allait chez un négociant en argent et escomptait une traite, comme il disait. Ensuite, il remettait l'argent à un collègue pour qu'il le lui garde. Sage précaution, étant donné le genre de salaud sournois qu'est mon frère ! Mais oncle Twan pouvait à tout moment avoir énormément d'argent, autant qu'il le désirait. Et quand je dis énormément, c'est énormément ! En arrivant ici à Han-yuan, il avait cinq lingots d'or sur lui. Cinq lingots d'or, s'il

72

vous plaît ! Je n'aurais jamais cru qu'on puisse avoir autant d'argent à soi tout seul ! Ne fais surtout pas voir ça à mon frère, ai-je dit à Twan ; ce n'est pas un assassin, mais pour une telle quantité d'or, il tuerait volontiers une ville entière ! Oncle Twan a souri, son petit sourire bien particulier, et m'a dit qu'il savait où le cacher en lieu sûr. Et le lendemain, vrai, il n'avait plus qu'une ligature de sapèques en manche. Je peux avoir une tasse de thé ?

Le juge Ti fit un signe à l'intendante qui servit aussitôt une tasse à la jeune fille ; son expression revêche indiquait cependant qu'elle désapprouvait cette infraction aux règles de la prison. Le juge Ti, occupé à regarder Tao Gan, ne s'aperçut de rien. Tao Gan hochait la tête. Ils étaient sur la bonne voie. Quand la jeune fille eut bu quelques gorgées de thé, le juge lui demanda :

— A qui Monsieur Twan a-t-il remis ces lingots d'or ?

La jeune fille haussa ses belles épaules.

— J'en sais long sur sa vie, mais il ne m'a jamais parlé de ses affaires et je ne lui ai jamais posé de questions à ce sujet. Et pourquoi l'aurais-je fait ? Le premier jour de notre arrivée ici, il a dit à mon frère qu'il devait aller voir quelqu'un qui avait une boutique sur la place du marché. « Je croyais que vous n'étiez jamais venu à Han-yuan ? » s'étonna mon frère. « C'est exact, a répondu Twan, mais j'y ai des amis. »

— Quand avez-vous vu Twan pour la dernière fois ?

— Hier soir, juste avant dîner. Il est sorti et n'est pas revenu. Il en a eu assez, j'imagine, et il est retourné à la capitale. C'est son droit, il est libre, n'est-ce pas ? Mais il aurait dû savoir qu'il n'avait pas besoin de me mentir. Il est même allé jusqu'à me dire hier soir qu'il avait l'intention de se joindre officiellement à notre bande, si je puis dire, et de prêter serment ! Il va me manquer un peu, mais pas trop. Une fille comme moi peut bien se débrouiller sans oncle, non ?

— Absolument. Où a-t-il dit qu'il allait ?

— Oh ! il a eu ce petit sourire mystérieux et dit qu'il allait manger un morceau chez l'ami qu'il avait vu le jour de notre arrivée. J'ai gobé son bobard !

Le juge Ti posa l'émeraude sur le bureau.

— Vous avez affirmé n'avoir jamais rien accepté de Monsieur Twan. Pourquoi donc avez-vous essayé de mettre sa bague en gage ?

— J'ai jamais rien accepté ! Elle me plaisait, et oncle Twan me l'avait laissé porter quelques jours. Quand on est passés devant une grande officine de prêteur sur gages l'autre jour, je suis entrée demander combien elle valait, comme ça, pour m'amuser. Mais ce gros porc de prêteur m'a instantanément attrapée par la manche et m'a fait des propositions dégoûtantes. Alors je suis ressortie.

La jeune fille écarta une mèche de cheveux et reprit en souriant légèrement :

— Pour sûr que ce n'était pas mon jour de veine ! A peine dehors, un grand gaillard m'a arrêtée en me disant que j'étais sa bonne amie ! J'en ai eu des frissons rien qu'à la façon dont il me regardait avec ses gros yeux ! Mais oncle Twan est aussitôt intervenu : « Bas les pattes ! Elle est avec moi ! » Et mon frère lui a tordu le bras et l'a envoyé promener avec un bon coup de pied dans le derrière. Les hommes sont tous les mêmes, croyez-moi ! Ils s'imaginent, en voyant une jeune vagabonde, qu'ils n'ont qu'à lever le petit doigt pour qu'elle se jette à leur cou ! Non,

74

oncle Twan était bel et bien un merle blanc ! Et si vous essayez de me faire croire qu'il a débité des sornettes sur mon compte, je vous traiterai de menteur, comme je vous le dis !

Tao Gan remarqua que le juge Ti ne semblait pas avoir entendu ses derniers mots. Le regard fixe, il caressait ses longs favoris en pensant visiblement à autre chose. Tao Gan fut frappé par l'air soudainement abattu du juge, et il se demanda quelle était la cause de ce brusque changement, car avant l'entretien avec Mademoiselle Seng, il s'était montré plein d'entrain à l'idée de découvrir de nouveaux éléments sur l'affaire de contrebande. Et la jeune fille lui avait inconsciemment fourni de précieux renseignements. Le juge avait également pu déduire de son récit décousu que Twan n'avait rejoint la bande qu'afin de couvrir ses activités illégales ; il était probablement le trésorier de ce réseau de contrebandiers. C'était une excellente couverture, d'ailleurs, car qui aurait soupçonné un vagabond courant la campagne avec un couple de deux malandrins ? Et le personnage que Twan était allé voir dans la matinée devait être un des agents qui écoulait la marchandise de contrebande. Une fouille systématique de toutes les boutiques de la place du marché et un interrogatoire serré de leurs propriétaires permettraient de l'identifier. A partir de là, ils pourraient remonter jusqu'au chef du réseau... celui que les autorités supérieures étaient si impatientes de retrouver ! Tao Gan se racla la gorge plusieurs fois de suite, mais le juge Ti n'y fit apparemment pas attention. L'intendante, étonnée elle aussi de ce silence interminable, jeta un regard interrogateur à Tao Gan qui se contenta de secouer la tête.

La jeune fille commença à s'agiter sur place.

— Tiens-toi tranquille! lança l'intendante.

Le juge Ti, tiré de ses réflexions, releva la tête. Repoussant en arrière son bonnet noir, il annonça calmement à Mademoiselle Seng :

— Monsieur Twan a été assassiné hier soir.

— Assassiné? s'écria la jeune fille. Oncle Twan assassiné? Qui a fait ça?

— J'espérais que vous pourriez nous l'apprendre, repartit le juge.

— Où l'a-t-on découvert? demanda-t-elle, tendue.

— Dans une cabane abandonnée, dans la forêt.

Elle frappa son petit poing sur le bureau et s'écria les yeux étincelants :

— C'est ce chien de Liou qui a fait ça! Le Boulanger a envoyé ses hommes à ses trousses parce qu'oncle Twan nous avait aidés à quitter sa bande de pourris. Et oncle Twan est tombé dans le piège! Le chien, le sale chien!

Enfouissant son visage dans les mains, la jeune fille éclata en sanglots.

Le juge Ti attendit qu'elle se calmât quelque peu avant de lui présenter sa tasse de thé. Dès qu'elle eut fini de boire, il lui demanda :

— Monsieur Twan, en se joignant à vous, s'est-il coupé le bout du petit doigt?

Elle sourit à travers ses larmes.

— Il en avait très envie, mais n'en a jamais eu le courage! Je ne sais combien de fois il a essayé, debout, la main gauche posée contre un arbre, un couperet dans la droite, et moi à côté de lui, en train de compter jusqu'à trois! Mais il a eu peur, à chaque fois!

Le juge Ti hocha la tête. Il réfléchit quelques instants, puis poussa un profond soupir et prit son pinceau. Après avoir rédigé un bref message sur une de ses grandes cartes de visite rouges, il la glissa dans une enveloppe sur laquelle il traça encore quelques mots.

— Va chercher un secrétaire ! ordonna-t-il à Tao Gan.

Lorsque Tao Gan revint avec le chef des scribes, le juge remit l'enveloppe à ce dernier en disant :

— Que le chef des sbires aille la porter immédiatement.

Puis se tournant vers la jeune fille qu'il regarda d'un air pensif, il ajouta :

— Vous n'avez pas un bon ami quelque part ?

— Si. Il est batelier à Tchiang-pei. Il veut m'épouser mais je lui ai demandé d'attendre un an ou deux. Il aura alors sa propre barque, et moi j'aurai eu tout le loisir de prendre du bon temps. On transportera de la marchandise sur le canal, en nous faisant assez d'argent pour avoir de quoi remplir notre bol de riz et nous amuser par-dessus le marché !

Elle jeta un regard inquiet au juge :

— Vous allez vraiment me marquer le visage au fer ?

— Non. Mais il faudra que vous viviez un peu moins librement d'ici peu. Trop de liberté peut être nuisible, savez-vous ?

Le juge fit un signe à l'intendante qui prit la jeune fille par le bras et sortit.

— Qu'est-ce qu'elle a pu parler ! s'exclama Tao Gan. Elle a eu du mal à se décider, mais une fois partie impossible de l'arrêter !

— Je l'ai laissée raconter les choses à sa façon. Un interrogatoire serré n'est indispensable que lorsque tu t'aperçois que l'on te ment. Souviens-t'en pour une autre fois, Tao Gan.

Le juge Ti frappa dans ses mains et ordonna à l'employé qui venait d'apparaître de lui apporter une serviette chaude.

— Twan Mou-tsaï était un intelligent gredin, Excellence, reprit Tao Gan. Cette fille n'est pas sotte, mais elle n'a jamais deviné que Twan dirigeait un réseau de contrebande.

Le juge Ti ne répondit pas. Il rangea les papiers épars sur son bureau et posa la bague devant lui, dans l'espace qu'il venait de ménager. L'employé apporta une bassine de cuivre remplie d'eau chaude parfumée. Le magistrat y prit une serviette humide qu'il se passa sur le visage et les mains. Puis il se carra confortablement dans son fauteuil.

— Ouvre la fenêtre, Tao Gan, dit-il. On étouffe ici.

Il réfléchit un instant puis leva les yeux vers Tao Gan et poursuivit :

— J'ignore si Twan était intelligent ou non. Mademoiselle Seng en a brossé un portrait sur le vif : un homme d'âge mûr qui se met brusquement à douter de la validité de toutes les normes reconnues et qui se demande dans quel but il a vécu jusqu'alors. De nombreux hommes, parvenus à un certain âge, passent par ce genre de remise en question. Pendant un an ou deux, ils sont une calamité pour eux-mêmes comme pour leur famille ; puis un jour ils retombent sur leurs pieds et rient de leur propre folie. Toutefois, en ce qui concerne Twan, ce fut différent. Il décida de couper définitivement tous les liens avec le passé, et mena cette décision jusqu'à sa conclusion logique : une vie entièrement nouvelle. Quant à savoir s'il aurait eu à regretter ce choix dans quelques années, nous l'ignorerons toujours. Ce devait être un homme passionnant, ce Monsieur Twan ; excentrique, certes, mais assurément doté d'une forte personnalité.

Le juge se tut. Tao Gan commença à s'agiter sur sa chaise. Il avait hâte de passer à l'étape suivante de l'enquête. Après s'être raclé la gorge un certain nombre de fois, il demanda d'un ton embarrassé :

— Doit-on maintenant faire venir Tchang pour l'interroger, Excellence ?

Le juge Ti releva la tête.

— Tchang ? Ah oui, tu veux parler de l'ami de Seng Kiou ? Tu t'en occuperas demain, Tao Gan. Pose-lui les questions habituelles. Seng Kiou et lui ne me préoccupent guère. Je songeais à la jeune fille, à vrai dire. Je ne sais absolument pas quoi faire d'elle ! Le gouvernement considère d'un très mauvais œil le vagabondage, car il peut conduire au vol et autres troubles de l'ordre public, sans parler de la prostitution clandestine qui, en tant que fraude fiscale, lèse le Ministère des Finances. Au regard de la loi, elle devrait être fouettée et jetée en prison pour deux ans. Mais je suis persuadé que sa détention ferait d'elle une criminelle endurcie destinée à finir sur l'échafaud ou dans le ruisseau. Ce serait dommage, car elle a, assurément, de précieuses qualités. Nous devons essayer de trouver une autre solution.

Le magistrat secoua la tête d'un air ennuyé, puis reprit :

— Quant à Seng Kiou et l'autre voyou, je vais les condamner à un an de service obligatoire dans l'Armée du Nord. Cela leur fera passer leur paresse et leur donnera l'occasion de montrer de quoi ils sont capables. S'ils se conduisent bien, ils pourront, le moment venu, demander à être enrôler comme soldats libres. En ce qui concerne la sœur de Seng... Mais oui, c'est la seule solution, bien sûr ! Je vais la faire engager comme domestique chez Monsieur Han Young-han ! Han est un monsieur très strict et à cheval sur les principes qui mène sa grande maisonnée de main de maître. Si elle y travaille un an, elle apprendra à découvrir tous les agréments d'une vie plus réglée et, au moment opportun, fera une excellente épouse pour son jeune batelier !

Tao Gan regarda le magistrat d'un air désolé. Il lui semblait très fatigué, pâle et les traits tirés. La journée avait été vraiment longue. Son maître trouverait-il présomptueux qu'il lui propose de se charger de la vérification de routine des boutiques de la place du marché ? Ou bien d'interroger Leng à nouveau ? Tao Gan décida de s'enquérir tout d'abord des projets du juge Ti.

— Que pensez-vous que nous devions faire à présent, Excellence ? J'ai songé...

— Ce que nous devrions faire ? s'étonna le juge en sourcillant. Il n'y a rien à faire. Ne t'es-tu pas aperçu que tous nos problèmes étaient résolus ? Nous savons à présent comment et pourquoi Twan a été assassiné, qui a transporté son corps dans la cabane, tout quoi ! Y compris, naturellement, qui servait d'agent local au réseau de contrebande.

Comme Tao Gan fixait sur son maître des yeux écarquillés, ce dernier enchaîna avec impatience :

— Enfin, tu as entendu toute la démonstration, n'est-ce pas ? Si je règle en ce moment avec toi les à-côtés, c'est uniquement parce que je n'ai rien de mieux à faire en attendant l'arrivée du personnage clé de cette tragédie.

Tao Gan ouvrait la bouche pour dire quelque chose quand le juge Ti s'empressa de poursuivre :

— Oui, c'est effectivement une tragédie. Souvent, Tao Gan, le dénouement d'une affaire complexe me procure un sentiment de satisfaction, la satisfaction d'avoir redressé un tort et résolu une énigme. En revanche, cette affaire-ci m'afflige considérablement. Curieusement, j'en ai eu le vague pressentiment en découvrant cette bague ce matin, juste après l'avoir reprise au gibbon. Il en émanait une sorte de souffrance humaine... La souffrance est une chose terrible, Tao Gan. Parfois elle grandit les êtres, la plupart du temps, elle les dégrade. Nous allons voir tout de suite comment elle a agi sur le personnage principal de ce drame et...

Il s'interrompit brusquement et tourna la tête vers la porte. Des pas avaient résonné dans le couloir. Le chef des sbires introduisit Monsieur Wang.

L'apothicaire, homme petit et alerte dans sa robe de soie noire impeccable, salua profondément le magistrat.

— Que peut pour Votre Excellence l'humble personne que je suis ? demanda-t-il courtoisement.

Désignant la bague posée sur son bureau, le juge Ti dit d'une voix égale :

— Pourriez-vous me dire pourquoi vous n'avez pas également pris cette bague quand vous avez détroussé le mort ?

Wang sursauta violemment en découvrant la bague, mais il ne tarda pas à se reprendre.

— Je ne comprends absolument pas de quoi il s'agit, Noble Juge ! s'indigna-t-il. Le chef des sbires s'est présenté chez moi avec votre carte de visite m'enjoignant de venir vous voir pour renseignements et...

— En effet, coupa le juge. Des renseignements sur le meurtre de votre collègue, Monsieur Twan Mou-tsaï !

L'apothicaire voulut intervenir mais le juge leva la main.

— Non, écoutez-moi ! Je sais exactement ce qui s'est passé. Vous aviez un besoin pressant des cinq lingots d'or que Monsieur Twan vous avait confiés parce que votre projet de passer en fraude deux précieux coffres de Tchiang-pei à Han-yuan avait échoué. Les hommes du Boulanger, que vous aviez engagés, ont tout gâché et la police militaire a saisi l'onéreuse marchandise que vous n'aviez peut-être pas même encore payée. Le désir de Twan de rejoindre la bande de Mademoiselle Seng en prêtant serment et en se coupant le bout du petit doigt gauche vous a fourni une excellente occasion pour assassiner ce malheureux.

Le chef des sbires s'approcha de Wang, mais le juge Ti secoua négativement la tête.

— Twan n'avait pas le courage de se couper tout seul le petit doigt, poursuivit le juge, et vous lui avez promis de procéder vous-même à l'opération hier soir, chez vous, dans votre maison de la montagne. Vous étiez convenus de le faire avec le grand couperet dont on se sert pour découper les racines médicinales. Une extrémité du couteau pesant et effilé est fixée par un axe mobile à la planche, et le manche se trouve de l'autre côté. Grâce à cet instrument très précis, dont dispose tout apothicaire ou marchand de produits médicinaux, l'opération pouvait être réalisée sans risque d'erreur, et assez rapidement et proprement pour réduire la douleur au minimum. Twan s'est mis dans cette situation parce qu'il désirait prouver à la jeune vagabonde qu'il aimait qu'il avait bien l'intention de passer avec elle le restant de ses jours.

Le juge Ti se tut un instant, tandis que Wang le dévisageait, l'air éberlué.

— Avant même que Twan n'ait eu le temps de

placer correctement la main sur le billot, le grand couperet s'est abattu, lui tranchant quatre doigts. Puis l'infortuné vieillard a été frappé à la tête d'un coup mortel à l'aide du pilon destiné à la préparation des drogues, et son cadavre a été transporté jusqu'à la cabane abandonnée. On l'y aurait trouvé, au bout de plusieurs semaines probablement, en état de décomposition avancée. Du reste, vous aviez pris la précaution de le fouiller et d'enlever tout ce qui aurait permis l'identification du mort. J'aurais fait incinérer le corps comme étant celui d'un vagabond inconnu. Mais un gibbon de la forêt m'a mis sur la bonne voie...

— Un... un gibbon ? bégaya Wang.

— Oui, le gibbon qui a trouvé la bague de Twan, que vous voyez là devant moi. Mais cela ne vous regarde pas, c'est une autre histoire.

Le juge Ti garda le silence qu'aucun bruit ne vint troubler.

Wang était devenu blême et ses lèvres se contractèrent. Il avala plusieurs fois sa salive avant de déclarer d'une voix si rauque qu'elle était à peine audible :

— Oui, j'avoue avoir tué Twan Mou-tsaï. Tout s'est passé exactement comme vous l'avez décrit, à l'exception de votre remarque concernant les coffres de contrebande. Ils ne m'appartenaient pas ; je n'étais qu'un simple agent chargé d'en écouler le contenu.

Il soupira et poursuivit d'un ton plus détendu :

— J'ai subi un grand nombre de revers de fortune ces deux dernières années, et mes créanciers me harcelaient. L'homme auquel je devais le plus d'argent était un banquier de la capitale.

Twan mentionna un nom connu du juge Ti ; il

s'agissait d'un célèbre banquier, cousin de l'Inspecteur des Finances.

— Il m'a écrit que si je voulais bien passer le voir, nous discuterions affaires. Je me suis rendu à la capitale et il m'a reçu le plus gracieusement du monde. Il m'a dit que si j'acceptais de collaborer à certaine opération financière, il annulerait non seulement mes traites, mais me verserait une large part des bénéfices. Naturellement, j'ai accepté. Puis, à ma stupéfaction horrifiée, il m'a expliqué froidement qu'il avait organisé un réseau de contrebande couvrant l'ensemble du territoire !

Wang se passa la main sur les yeux.

— Lorsqu'il mentionna l'ampleur des profits, reprit-il en secouant la tête, je flanchai. Et j'ai fini par accepter. Je... je ne supporte pas l'idée d'en être réduit à la pauvreté. Et quand j'ai pensé à tout l'argent qui allait me revenir... J'aurais pourtant dû savoir à quoi m'en tenir ! Au lieu d'annuler mes traites, le diabolique escroc ne les a pas lâchées ; et il m'a remercié de mes services en me prêtant de l'argent à un taux exorbitant. Je ne tardai pas à être entièrement à sa merci. Lorsque Twan m'a confié les cinq lingots d'or, j'ai tout de suite vu là l'occasion de rembourser mon commanditaire et de redevenir un homme libre. Je savais que Twan n'avait dit à personne qu'il viendrait chez moi hier soir, car il ne voulait pas que l'on sût qu'il n'avait pas le courage de se couper lui-même le petit doigt. Il avait insisté pour que je cache sa visite à ma propre famille. Je l'ai fait entrer par la porte de service.

L'apothicaire sortit un mouchoir de soie de sa manche et essuya son visage en sueur. Puis il dit d'une voix ferme :

— Si Votre Excellence avait l'amabilité de me

donner une feuille de papier, je rédigerais sur-le-champ ma confession, attestant que j'ai assassiné Twan Mou-tsaï avec préméditation.

— Je ne vous ai encore rien demandé de tel, Monsieur Wang, répondit calmement le juge Ti. Il reste encore quelques points à éclaircir. Tout d'abord, pourquoi Monsieur Twan désirait-il pouvoir disposer à tout instant d'aussi grosses sommes d'argent ?

— Parce qu'il ne cessait d'espérer qu'un jour ou l'autre cette jeune vagabonde consentirait à l'épouser. Il m'a dit qu'il voulait pouvoir la racheter aussitôt à son frère et acheter une belle maison de campagne quelque part pour commencer une nouvelle vie.

— Je vois. Ensuite, pourquoi n'avez-vous pas avoué franchement à Twan que vous aviez de gros ennuis financiers ? N'est-il pas convenu de longue date que les membres d'une même guilde se doivent secours et assistance ? Et Monsieur Twan était bien assez riche pour pouvoir vous prêter cinq lingots d'or.

Wang eut l'air profondément bouleversé par toutes ces questions. Ses lèvres remuèrent sans qu'un son ne parvînt à en sortir. Le juge Ti n'insista pas et poursuivit :

— Enfin, vous êtes un homme d'un certain âge, d'une constitution peu robuste. Comment avez-vous réussi à transporter le corps jusqu'à la cabane ? Il est vrai qu'elle se trouve en contrebas, mais néanmoins, je ne crois pas que vous ayez pu y parvenir tout seul.

Wang s'était ressaisi. Secouant la tête d'un air catastrophé, il répondit :

— Je ne sais absolument pas comment j'ai fait, Excellence ! Mais j'étais comme fou, obsédé par l'idée que je devais à tout prix cacher le corps, au plus vite. Cela m'a donné la force de le traîner jusqu'au jardin et de là dans la forêt. Je suis rentré chez moi plus mort que vif...

Wang s'épongea de nouveau le front, puis ajouta d'une voix plus assurée :

— Je suis pleinement conscient d'avoir tué un homme estimable pour son argent, Excellence, et je sais qu'il me faudra payer ce crime de ma vie.

Le juge Ti se redressa sur son siège. Posant les coudes sur son bureau, il se pencha en avant et dit d'une voix douce à Wang :

— Toutefois, vous n'avez pas compris que si vous avouez ce meurtre, tous vos biens seront confisqués, Monsieur Wang. Par ailleurs, votre fils n'hériterait pas, quoi qu'il en soit, car je vais devoir le faire déclarer irresponsable.

— Que voulez-vous dire ? s'écria Wang en se penchant pour écraser son poing sur le bureau. C'est faux, c'est un mensonge ! Mon fils est parfaitement sain d'esprit, croyez-moi ! Il est simplement un peu en retard, mais il n'a que vingt ans, après tout ! Son esprit se développera nécessairement avec l'âge... Et avec un peu de patience, si l'on évite de l'énerver, il est parfaitement normal !

Après avoir jeté au juge un regard implorant, il reprit d'une voix tremblante :

— C'est mon fils unique, Excellence, un garçon si gentil, si obéissant... Je vous assure, Excellence...

— Je veillerai personnellement à ce que l'on prenne grand soin de lui, Monsieur Wang, répondit posément le magistrat. Je vous en donne ma parole. Mais si nous ne prenons pas les mesures qui s'imposent, votre fils risque de provoquer d'autres accidents ; il faut le mettre sous tutelle, c'est la seule solution. Il y a deux jours, en sortant de votre officine, il est tombé par hasard sur cette jeune vagabonde qui venait de chez Leng, le prêteur. Elle est très belle, et dans son esprit dérangé, votre fils a cru que c'était sa bonne amie. Il a voulu la saisir, mais Monsieur Twan a dit que c'était son amie à lui et le frère de Mademoiselle Seng a chassé votre fils. Cet incident a fait une forte impression sur son esprit fragile. Hier, lorsque Twan est venu vous voir, votre fils a dû l'apercevoir. Persuadé qu'il s'agissait de l'homme qui lui avait pris sa bien-aimée, il l'a tué. Puis vous avez laissé votre fils transporter le cadavre jusqu'à la cabane, en lui montrant le chemin. C'était une tâche facile pour votre fils qui, comme beaucoup de jeunes gens arriérés mentalement, est d'une taille et d'une force physique exceptionnelles.

Wang acquiesça, abasourdi. De profondes rides s'étaient creusées sur son visage pâle et tendu, et ses épaules s'étaient affaissées. Le marchand fringant et dynamique avait fait brusquement place à un vieillard.

— Voilà donc pourquoi il ne cessait de parler de cette fille et de Twan... J'ai été complètement pris au dépourvu hier soir, car toute la journée il avait été d'une humeur charmante... Dans l'après-midi, nous sommes allés nous promener dans les bois, et il avait l'air tellement heureux, il regardait les gibbons jouer dans les arbres... Il a dîné avec l'intendant, puis est parti se coucher, car il se fatigue vite... J'avais prévenu mon intendant que je dînerai seul, dans ma bibliothèque, et lui y ai fait apporter une petite collation. Tandis que je dînais en compagnie de Twan, je lui ai parlé de l'or. Il m'a répondu aussitôt que je n'avais pas à m'inquiéter, qu'il pouvait facilement en faire venir davantage de la capitale si besoin

était et que je pourrais le rembourser à tempéra-
ment. « Je considère l'aimable service que vous allez
bientôt me rendre, ajouta-t-il en souriant, comme un
intérêt sur ce prêt ! » Voilà l'homme qu'était Twan,
Excellence. Il s'est empressé de vider une grande
coupe de vin, puis nous nous sommes rendus dans le
petit atelier aménagé dans la remise du jardin où
j'expérimente mes nouveaux produits. Twan a posé
la main sur le billot et fermé les yeux. Au moment
même où je réglais le couperet, quelqu'un m'a
brutalement poussé le coude. « Le méchant vieux
monsieur m'a volé mon amie ! » s'écria mon fils
derrière moi. Le couperet s'était abattu, lui tranchant
quatre doigts. Twan est tombé en avant sur la table
en poussant un cri d'effroi. J'ai cherché aussitôt
alentour un pot de poudre pour arrêter l'hémorragie,
quand soudain mon fils a attrapé le pilon de fer posé
sur la table et lui en a asséné un violent coup derrière
la tête.

Wang jeta un regard désespéré au juge. Puis,
saisissant à deux mains le bord du bureau, il dit :

— Le clair de lune qui brillait dans sa chambre a
réveillé mon garçon qui, regardant par la fenêtre,
nous a vus, Twan et moi, aller dans la remise du
jardin. La lune le met toujours dans des états
seconds... Il ne savait pas ce qu'il faisait, Noble Juge !
Il est tellement doux en général, il... .

Wang laissa sa phrase en suspens.

— Votre fils ne sera pas poursuivi, naturellement,
Monsieur Wang. Les malades mentaux ne tombent
pas sous le coup de la loi. Monsieur Tao, ici présent,
va vous conduire dans son bureau à côté, où vous
allez me rédiger un rapport complet et détaillé sur
l'organisation et les activités du réseau de contrebandiers en y ajoutant les noms et adresses de tous les

agents que vous connaissez. A propos, Monsieur Leng, le prêteur sur gages, en fait-il partie ?

— Oh, non, Excellence ! En quoi vous paraît-il suspect ? C'est mon voisin et je n'ai jamais...

— On m'a dit qu'il se rendait régulièrement à Tchiang-pei, l'une des bases principales de votre organisation.

— La femme de Monsieur Leng est extrêmement jalouse, remarqua vivement Wang. Elle se refuse à ce qu'il prenne d'autres épouses. C'est pourquoi il a fondé un nouveau foyer à Tchiang-pei.

— Parfait. Eh bien, lorsque vous aurez signé et scellé le document dont je vous parlais, Monsieur Wang, vous rédigerez aussi un rapport complet sur l'accident fatal de Monsieur Twan. J'enverrai ce soir même ces deux documents à la capitale par porteur spécial. J'y joindrai une recommandation de clémence, soulignant que vous avez volontairement fourni les informations qui permettront aux autorités de démanteler le réseau. J'espère que cela aura pour effet de réduire considérablement la durée de votre détention. Quelle qu'elle soit, je tâcherai de faire en sorte que votre fils soit autorisé à vous rendre visite de temps en temps. Conduis Monsieur Wang dans ton bureau, Tao Gan. Prépare-lui tout ce dont il aura besoin pour écrire, et donne des ordres stricts pour qu'on ne le dérange sous aucun prétexte.

Quand Tao Gan revint, il découvrit le juge Ti debout, face à la fenêtre ouverte, les mains derrière le dos. Il savourait la fraîcheur de l'air qui venait du petit jardin clos, planté de bananiers. Désignant la masse luxuriante des feuilles vertes, il dit :

— Regarde-moi ces splendides régimes de bananes, Tao Gan ! Elles viennent de mûrir. Demande

donc au chef des sbires de m'en apporter quelques-
unes dans mes appartements privés afin que je puisse
en donner aux gibbons demain matin.

Tao Gan acquiesça et son long visage s'éclaira d'un
large sourire.

— Permettez-moi de vous féliciter, Excellence,
pour...

Le juge Ti l'interrompit d'un geste.

— C'est grâce à ton intervention rapide et efficace
que nous avons pu démêler aussi rapidement cette
affaire complexe, Tao Gan. Je te présente mes
excuses pour m'être montré un peu abrupt avec toi
juste avant l'arrivée de Monsieur Wang. Le fait est
que je redoutais cette entrevue, car je ne déteste rien
plus que de voir un homme se décomposer sous mes
yeux — quand bien même s'agirait-il d'un criminel.
Mais Monsieur Wang s'est fort bien comporté. Son
grand amour pour son fils lui a donné de la dignité,
Tao Gan.

Le juge regagna son fauteuil, derrière son bureau.

— Je vais tout de suite écrire une lettre au sergent
Hong à Tchiang-pei, pour l'informer que l'affaire de
contrebande est résolue et qu'il peut rentrer dès
demain, ainsi que mes deux autres lieutenants. Et tu
peux donner les ordres nécessaires pour que l'on
remette en liberté notre ami le prêteur sur gages.
J'espère qu'il aura mis à profit ces quelques jours de
détention pour réfléchir.

Le juge Ti saisit son pinceau, mais se ravisant
soudain, il ajouta :

— A présent que nous avons travaillé ensemble
sur une affaire, Tao Gan, je tiens à te dire que je
serais enchanté de te garder désormais à mon service.
Il ne me reste qu'un seul conseil à te donner pour ta
future carrière d'enquêteur criminel : ne te laisse

jamais guider par tes sentiments dans les affaires dont tu auras la charge. Cela est de la plus haute importance, Tao Gan, mais particulièrement difficile à appliquer. Je n'y suis pour ma part jamais parvenu.

LA NUIT DU TIGRE

Emmitouflé dans son épais manteau de fourrure, le juge chevauchait seul sur la grand-route, à travers la plaine déserte. Il était tard dans l'après-midi ; les ombres grises du crépuscule hivernal recouvraient déjà de leur lugubre linceul les terres inondées, au milieu desquelles la grand-route traçait comme une ligne de brisure dans un miroir terni. Le ciel qui se reflétait dans les eaux glacées semblait peser comme une chape de plomb. Le vent du nord poussait un troupeau de gros nuages noirs vers les montagnes lointaines noyées dans la brume.

Perdu dans ses pensées, le juge avait chevauché de l'avant, laissant les soldats de son escorte à plus d'un demi-mille derrière lui. Penché sur l'encolure de son cheval, son bonnet de fourrure profondément enfoncé sur les oreilles, il scruta la route devant lui. Il savait qu'il devait concentrer toutes ses pensées sur l'avenir. D'ici deux jours, il serait à la capitale de l'Empire fleuri, à son nouveau poste, dépositaire de la haute charge qui venait inopinément de lui être confiée. Mais son esprit revenait sans cesse sur les événements de la semaine passée, sur la tragédie qui avait marqué la fin de son séjour à Pei-tcheou. Ce souvenir ne cessait de le tourmenter, le ramenant dans ce sinistre petit district du grand Nord glacial qu'ils avaient quitté trois jours plus tôt (1).

Durant trois jours, ils avaient chevauché vers le sud à travers la campagne enneigée, jusqu'au moment où un brusque dégel était survenu, déclenchant de catastrophiques inondations dans la province où ils pénétraient alors. Dans la matinée, ils avaient croisé de longues files de paysans, fuyant vers le nord leurs champs inondés, progressant péniblement, ployant sous le fardeau de leurs misérables biens, les pieds enveloppés dans des chiffons couverts de boue. Lorsqu'ils avaient fait halte au poste de contrôle de la circulation, pour le riz de midi, le capitaine commandant l'escorte du juge lui avait annoncé qu'ils arrivaient à présent dans la zone la plus dangereuse, celle où le Fleuve jaune avait inondé toute la rive nord; il leur avait conseillé d'attendre d'être un peu mieux renseignés sur la situation dans la région à traverser. Mais le juge avait décidé de poursuivre sa route, car il avait reçu l'ordre de rejoindre la capitale dans les plus brefs délais. Il avait vu, en outre, sur la carte que sur une hauteur, de l'autre côté du fleuve, se trouvait un fort où il pourrait passer la nuit.

La route était absolument déserte. Les quelques toits de fermes submergées qui surgissaient çà et là des eaux boueuses rappelaient seuls l'existence d'une plaine fertile et peuplée. En s'approchant de la montagne, le juge aperçut toutefois deux baraquements sur la gauche de la route. Une douzaine d'hommes s'y tenaient serrés les uns contre les autres. En arrivant à leur hauteur, il reconnut les

(1) Voir *l'Enigme du clou chinois*, Coll. 10/18, n° 1723.

gardes de la milice locale, en vestes et bonnets de cuir épais et grandes bottes jusqu'aux genoux. La route avait été emportée sur une centaine de pieds par un torrent d'eau boueuse. Les hommes surveillaient avec angoisse le frêle mur de fagots qui consolidait le tronçon sur lequel ils se trouvaient.

Une passerelle de fortune franchissait la brèche jusqu'à la rive opposée, où la route grimpait dans la montagne aux pentes boisées. Elle avait été construite à la hâte à l'aide de gros rondins liés par de solides cordes de chanvre. Le flot la soulevait et la ballottait sans relâche.

— Ce n'est pas prudent de traverser, Excellence ! cria le chef de la milice. Le courant devient d'heure en heure plus violent, et nous ne pouvons rien faire pour assurer la passerelle. Mieux vaut faire demi-tour. Si les cordes cassent, nous devrons abandonner cette tête de pont.

Le juge se retourna sur sa selle. Clignant des yeux pour se protéger du vent glacial, il scruta le groupe de cavaliers au loin. Ils avançaient à vive allure et n'allaient pas tarder à le rejoindre. Après avoir jeté un coup d'œil vers les collines de l'autre côté de la brèche, il décida de tenter sa chance. D'après la carte, il suffisait d'une demi-heure de cheval à travers la montagne pour atteindre le Fleuve jaune, où le bac le conduirait jusqu'au fort, sur la rive sud.

Le juge fit avancer son cheval sur les rondins glissants. La passerelle oscilla et les cordes grincèrent tandis qu'il progressait prudemment. Vers le milieu de la passerelle, des vagues boueuses passèrent par-dessus les rondins. Il rassura son cheval en lui flattant gentiment l'encolure. Soudain, un tronc d'arbre charrié par le courant vint heurter la passerelle. Les vagues atteignirent les flancs de la bête et trempèrent

97

les bottes du juge qui pressa sa monture vers l'extrémité de la passerelle. Là, les rondins étaient encore secs, et ils ne tardèrent pas à se retrouver sur la terre ferme. Après avoir fait rapidement escalader la berge à son cheval, il s'arrêta sous les grands arbres. Au moment précis où il tournait la tête, un énorme fracas retentit. Une masse enchevêtrée d'arbres déracinés venait de s'écraser de plein fouet contre la passerelle dont la partie centrale se souleva comme l'épine dorsale d'un dragon, puis les cordes se rompirent et les rondins se dispersèrent. Il n'y avait plus entre lui et la tête de pont qu'un torrent impétueux.

Le juge agita son fouet en direction des gardes pour leur signifier qu'il poursuivait sa route. Son escorte le rejoindrait dès que le pont aurait été réparé. Il l'attendrait au fort.

Au premier détour du chemin, il se retrouva à l'abri des grands chênes qui s'élevaient de chaque côté de la route. C'est alors seulement qu'il réalisa que ses pieds étaient glacés dans ses bottes trempées. Mais quel soulagement de se retrouver enfin sur la terre ferme après avoir si longtemps traversé les terres inondées !

Tout à coup, des branches craquèrent. Un cavalier à la mine patibulaire surgit de l'épais taillis. Ses longs cheveux étaient retenus par un bout de chiffon rouge ; il portait une courte cape en peau de tigre jetée sur les épaules et une épée dans le dos. Faisant avancer son cheval jusqu'au milieu de la route, il coupa le chemin au juge. Tout en fixant sur ce dernier de petits yeux cruels, il fit vivement tournoyer des deux mains sa courte lance.

Le juge arrêta son cheval.

— Ôte-toi de mon chemin ! cria-t-il.

Le juge Ti para le coup de lance avec son épée.

L'autre lâcha la pointe de la lance, en la retenant par la poignée. La lame acérée décrivit un large cercle, frôlant la crinière du cheval du juge Ti. Comme le magistrat tirait sur les rênes, toutes les émotions contenues de ces derniers jours se libérèrent en une rage aussi brutale que violente. Portant la main à son épaule droite, il tira en un clin d'œil son épée accrochée dans le dos. Il en porta un coup au bandit qui le para adroitement de la pointe de sa lance et essaya aussitôt de frapper le juge à la tête avec l'autre extrémité. Le juge esquiva, mais ce fut alors la pointe de la lame qui s'abattit sur lui. Il para le coup avec son épée dont la lame effilée comme un rasoir trancha net la lance en bois. Comme le voleur contemplait médusé le moignon qui lui restait à la main, le juge approcha son cheval du sien et leva l'épée pour lui trancher la tête d'un coup fatal. Mais au même instant l'homme fit faire demi-tour à son cheval d'une brusque pression des genoux, et l'épée lui siffla aux oreilles. Le bandit poussa un affreux juron mais ne fit nullement mine de tirer son épée. Reculant le plus loin possible de l'autre côté de la route, il cria par-dessus son épaule :

— Espèce de rat ! C'en fera un de plus dans le piège !

Il eut un sourire mauvais puis disparut dans l'épais feuillage.

Le juge rengaina son épée. Faisant repartir son cheval, il se dit qu'il avait grand besoin de se ressaisir. Il n'aurait pas dû perdre son sang-froid devant un vulgaire bandit de grand chemin. Le drame de Pei-tcheou l'avait profondément affecté, au point qu'il se demandait avec désespoir s'il retrouverait jamais la paix intérieure.

Il ne fit pas d'autres rencontres en chemin. Parvenu au sommet de la montagne, le vent du nord lui cingla le visage et, pénétrant à travers son épais manteau de fourrure, le glaça jusqu'aux os. Il s'empressa de redescendre vers la berge pour arrêter sa monture devant la vaste étendue du fleuve grossi par les eaux. Ses flots bouillonnants battaient les rochers un peu plus loin vers l'ouest. La rive opposée était plongée dans une brume épaisse. Il n'y avait pas le moindre bac à l'horizon, et il ne restait plus du quai que deux piliers brisés que venait lécher une écume blanche. Les vagues se précipitaient d'est en ouest en grondant, charriant de gros rondins et des tas de buissons enchevêtrés.

Les sourcils froncés, le juge contempla le paysage gris et lugubre dans le crépuscule qui tombait à vive allure. La seule demeure en vue était une vieille et vaste ferme fortifiée isolée sur une petite colline à un mille environ vers l'ouest. Elle était entourée d'un mur escarpé et protégée à l'angle est par une tour de guet. Les volutes de fumée qui s'élevaient du toit du bâtiment principal étaient balayées par le vent violent.

Réprimant un soupir, le juge guida son cheval vers la route qui serpentait dans la colline. Il se trouvait dans un cul-de-sac. Il n'y avait plus rien à faire, son escorte et lui-même devraient interrompre ici leur voyage en attendant que le bac fût remis en service.

Les alentours de la ferme n'étaient que hautes herbes et gros rochers. Il n'y avait pas un arbre à la ronde, mais en revanche, la pente en contrebas était densément boisée. Des gens allaient et venaient devant ce qui semblait être l'entrée d'une vaste grotte. Trois cavaliers sortirent du couvert des arbres et descendirent la montagne.

A mi-chemin de la maison, le regard du juge fut

attiré par un gros poteau planté dans le sol en bordure de la route. Un objet d'une certaine taille y était accroché. Se penchant sur sa selle, il découvrit qu'il s'agissait d'une tête d'homme, dont les longs cheveux balayaient le visage grimaçant. Deux mains tranchées étaient clouées au poteau, juste au-dessus de la tête. Secouant la sienne d'un air perplexe, le juge talonna son cheval.

Lorsqu'il parvint à la loge de garde, protégée par une lourde porte métallique, il fut frappé par les allures de fortin qui étaient celles de cette ferme. Plus épais à leur base et dépourvus de fenêtres, les hauts murs crénelés semblaient étrangement massifs.

Il s'apprêtait à frapper à la porte du manche de son fouet quand elle s'ouvrit brusquement devant lui. Un vieux paysan l'introduisit dans une grande cour pavée à demi plongée dans l'obscurité, et comme le juge sautait à bas de sa monture, il entendit le bruit de la barre de fer que l'on remettait en place.

Un homme maigre en longue robe bleue, une petite calotte sur la tête, se précipita à sa rencontre. Approchant son visage de celui du juge, il haleta :

— Je vous ai aperçu du haut de la tour de guet ! J'ai crié tout de suite au portier de vous ouvrir. Content qu'ils ne vous aient pas rattrapé !

Il avait un visage intelligent, orné d'une maigre moustache et d'une courte barbiche. Le juge lui donna environ une quarantaine d'années. Considérant d'un rapide coup d'œil la tenue dépenaillée du juge, il poursuivit :

— Vous avez fait un long voyage, apparemment ! Au fait, je m'appelle Liao. C'est moi l'intendant du domaine, voyez-vous.

L'homme avait retrouvé son souffle. Sa voix était agréable et il s'exprimait avec distinction.

102

— Je suis le magistrat Ti. Je viens du Nord et dois me rendre à la capitale.

— Juste ciel ! Un magistrat ! Il faut que je prévienne immédiatement Monsieur Min !

L'homme courut vers le bâtiment principal au fond de la cour, en agitant les bras avec frénésie. Ses manches flottantes lui donnaient des allures de volatile affolé, pensa le juge. Un bruit confus de voix lui parvint depuis les dépendances, de part et d'autre de la cour. Une douzaine d'hommes et de femmes étaient blottis sous les poutres et contre les piliers. Derrière eux étaient empilés d'énormes ballots enveloppés de tissu bleu et attachés par de grosses cordes. Auprès du pilier le plus proche, une paysanne allaitait son nouveau-né, à demi enfoui sous son manteau déguenillé. De l'autre côté du muret, on entendait le hennissement des chevaux. Le juge se dit qu'il ferait bien d'y mener aussi son cheval, car il était mouillé et épuisé. Au moment où il lui faisait franchir l'étroit passage au coin de la cour, le murmure des voix cessa instantanément.

L'enclos entouré de murs était effectivement la cour de l'écurie. Une demi-douzaine de jeunes garçons s'affairaient autour de grands cerfs-volants de toutes les couleurs. L'un d'entre eux suivait des yeux, avec excitation, le cerf-volant rouge qui s'élevait haut dans le ciel gris, au bout de la longue ficelle tendue sous le souffle du vent. Le juge Ti demanda au plus âgé des garçons de bouchonner et de nourrir son cheval. Après quoi il lui flatta l'encolure et se dirigea vers la cour.

Un homme petit et replet, portant une épaisse robe de laine grise et un bonnet plat de même matière, descendit précipitamment les larges degrés du bâtiment principal à deux étages.

— Comment avez-vous réussi à passer, Noble Juge ? demanda-t-il avec un vif intérêt.

Le juge sourcilla devant une question aussi abrupte.

— A cheval, répliqua-t-il sèchement.

— Et les Tigres volants, alors ?

— Je n'ai rencontré aucun tigre, ni volant ni autre. Auriez-vous l'amabilité de m'expliquer ce qui...

Le juge s'interrompit au milieu de sa phrase en voyant un homme de belle stature en long manteau de fourrure venir vers eux. Redressant son bonnet carré, il demanda courtoisement :

— Voyagez-vous seul, Noble Seigneur ?

— Non, j'ai une escorte de six soldats. Ils...

— Le ciel soit loué ! s'exclama le gros monsieur. Nous sommes sauvés !

— Où sont-ils ? s'enquit le grand avec empressement.

— De l'autre côté de la montagne. La passerelle qui avait été construite pour franchir l'endroit où la route s'est effondrée a été emportée juste après mon passage. Mes hommes seront là dès qu'elle aura été réparée.

Le gros homme leva les bras au ciel en un geste de désespoir.

— A-t-on jamais vu un fou pareil ? demanda-t-il avec humeur à son compagnon.

— Enfin, je vous en prie ! fit le juge. Cessez vos insolences ! Etes-vous le maître de céans ? Je désire un abri pour la nuit.

— Un abri ? Ici ? pouffa l'autre.

— Calmez-vous, Monsieur Min ! intervint brusquement le grand, puis s'adressant au juge : j'espère que vous voudrez bien pardonner notre impolitesse, Noble Seigneur. Mais nous nous trouvons dans une situation particulièrement dramatique. Ce monsieur est Monsieur Min Kouo-taï, le plus jeune frère du propriétaire, qui est aujourd'hui gravement malade. Monsieur Min est arrivé hier pour être sur place au cas où l'état de santé de son frère s'aggraverait. Je suis Yen Yuan, le régisseur du domaine Min. Faisons-nous entrer notre hôte, Monsieur Min ?

Sans attendre l'avis du petit homme replet, il fit gravir les marches au juge Ti. Ils pénétrèrent dans un grand vestibule plongé dans l'obscurité, dépourvu de fenêtres, où un feu brûlait par terre au centre de la salle dallée. Le peu de meubles qui s'y trouvaient étaient de grande taille et très anciens : deux larges armoires en bois sombre, un banc à haut dossier poussé contre le mur et au fond une table d'ébène sculptée aux pieds épais. Ces meubles massifs allaient bien avec les grosses poutres du plafond bas, noircies par la fumée. Visiblement, l'aménagement de cette salle n'avait pas été transformé depuis de nombreuses années. Il y régnait une atmosphère agréable de rustique simplicité, caractéristique de ces maisons de campagne d'antan.

Tout en traversant la salle jusqu'à la table, au fond, le juge remarqua que la maison était bâtie sur deux niveaux : de chaque côté, quelques marches montaient vers de petites pièces, séparées de la salle par des panneaux de lattis ajourés. A travers celui de gauche, le juge aperçut un haut bureau recouvert de livres de comptes. Il devait s'agir du cabinet de travail du propriétaire.

Le régisseur alluma le chandelier sur la table, puis offrit au juge le vaste fauteuil placé derrière. Quant à lui, il prit place sur une chaise, à sa gauche. Monsieur Min, qui n'avait cessé de maugréer par-devers lui, se laissa tomber dans un fauteuil plus petit, de l'autre côté. Comme le régisseur préparait le plateau à thé, le juge Ti détacha son épée et la posa sur la table murale. Puis il ouvrit son manteau de fourrure et s'assit à son tour. Confortablement carré dans son fauteuil, il observa à la dérobée les deux hommes tout en lissant ses longs favoris.

Yen Yuan, le régisseur, n'était pas difficile à situer. Son visage fin et régulier, orné d'une petite moustache noire et d'une barbiche impeccablement taillée, ainsi que son accent légèrement affecté, indiquaient le jeune homme de la ville. Bien qu'il n'eût certainement pas plus de vingt-cinq ans, il avait néanmoins de grosses poches sous des yeux aux paupières lourdes et de profondes rides de chaque côté d'une bouche plutôt sensuelle. Le juge se demanda distraitement comment un jeune homme de la ville avait pu se retrouver régisseur d'un domaine aussi isolé. Lorsque Yen eut posé devant lui une grande tasse de thé en terre cuite verte, le juge lui demanda incidemment :

— Etes-vous parent du propriétaire, Monsieur Yen ?

— Du côté de son épouse, Noble Seigneur. Mes parents habitent la capitale de la province. Mon père m'a envoyé ici l'année dernière pour me faire changer d'air. J'avais été assez malade.

— Nous allons bientôt être tous définitivement guéris de nos maux, une bonne fois pour toutes ! maugréa le gros homme d'un air mauvais.

Il s'exprimait avec un accent de terroir prononcé, mais son visage hautain, aux lourdes bajoues, encadré de favoris gris et d'une longue barbe éparse, évoquait plutôt l'homme d'affaires de la ville.

— De quelle maladie votre frère souffre-t-il, Monsieur Min ? s'enquit poliment le juge.

— Il a de l'asthme et un cœur fragile, répliqua sèchement Monsieur Min. Il pourrait vivre jusqu'à cent ans s'il prenait soin de lui. Les médecins lui ont conseillé de se reposer pendant un an ou deux. Mais pensez-vous, il court par monts et par vaux, qu'il pleuve ou qu'il vente ! Alors j'ai été obligé de venir en hâte. J'ai confié mon commerce de thé à mon assistant, un véritable bon à rien ! Que vont devenir mes affaires, ma famille, dites-moi un peu ? Ces maudits Tigres volants nous trancheront la tête, à tous. Fichue déveine !

Il reposa bruyamment sa tasse sur la table et se peigna avec humeur la barbe en écartant ses doigts courts et potelés.

— Je suppose que vous faites allusion à une bande de voleurs de grand chemin qui sévit dans la région. Avant d'arriver ici, j'ai moi-même été attaqué par un malandrin qui portait une cape en peau de tigre. Toutefois, il n'a pas trop insisté. Malheureusement, les grandes inondations incitent fréquemment les vagabonds et autres gredins à profiter de l'interruption de la circulation et de la confusion générale pour détrousser les gens. Mais point n'est besoin de vous inquiéter, Monsieur Min. Les soldats de mon escorte sont armés jusqu'aux dents ; les voleurs n'oseront jamais s'aventurer à attaquer cette demeure. Mes hommes seront là dès que la passerelle aura été remise en état.

— Ciel tout-puissant ! s'exclama Monsieur Min en regardant le régisseur. Dès que la passerelle aura été remise en état ! Voilà bien les fonctionnaires !

Puis, se ressaisissant avec difficulté, il demanda au juge d'un ton plus calme :

— Où croyez-vous que l'on trouvera le bois,

Noble Seigneur ? Il n'y en a pas la moindre brindille sur des milles à la ronde !

— Qu'est-ce que c'est que ces balivernes ? repartit le juge d'un ton irrité. Et la forêt de chênes que j'ai traversée en venant ici ?

Le gros homme dévisagea le juge puis retourna s'asseoir et demanda au régisseur d'un air las :

— Auriez-vous la gentillesse d'exposer la situation à notre visiteur, Monsieur Yen ?

Le régisseur prit une baguette sur le plateau à thé. Il la posa sur la table, devant le juge, ainsi que deux tasses retournées, de part et d'autre.

— Cette baguette représente le Fleuve jaune, commença-t-il. Il coule d'est en ouest. Cette tasse, sur la rive sud, représente le fort ; l'autre, en face, la maison où nous sommes.

Trempant son index dans le thé, il traça un cercle autour de cette dernière tasse.

— Voici les montagnes environnantes, l'unique éminence de ce côté-ci du fleuve. Le reste de la campagne n'est que rizières ; elles appartiennent au propriétaire de ce domaine et s'étendent sur six milles environ au nord. Or le fleuve a grossi au point de submerger la rive sud, transformant ces montagnes en île. Un tronçon de la grand-route, au nord, s'est effondré, comme vous avez pu vous en apercevoir en traversant la passerelle de fortune construite par les gardes. Le bac a été emporté par le courant hier après-midi ; Monsieur Min ainsi qu'un groupe de marchands ont été les derniers à pouvoir l'emprunter, hier matin. Cette ferme est le seul endroit habité alentour. En conséquence, vous voyez que nous sommes complètement isolés, Noble Seigneur. Le Ciel seul sait quand le bac fonctionnera à nouveau, et il faudra des jours avant que l'on achemine au nord le

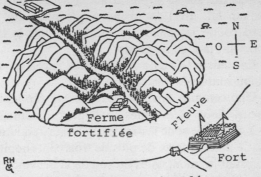

Croquis de la zone inondée

bois nécessaire à la réfection de la passerelle. Il n'y a
pas un arbre sur des milles à la ronde du nord de la
brèche, comme vous l'aurez sans doute constaté
vous-même en faisant route vers le sud.

Le juge Ti acquiesça.

— Je constate cependant que vous avez accueilli
dans vos murs un certain nombre de réfugiés, remarqua-t-il. Pourquoi ne pas choisir parmi eux une
douzaine de paysans robustes et les envoyer à cheval
jusqu'à la brèche ? Ils pourraient abattre des arbres
et...

— N'avez-vous pas vu la tête coupée, sur le
poteau, au bord de la route, en venant ? interrompit
Monsieur Min.

— Oui, en effet. Qu'est-ce que cela signifie ?

— Cela signifie, répliqua l'homme replet d'un ton
bourru, que ces bandits nous surveillent de près, de
leurs grottes dans la montagne, derrière la maison.
La tête que vous avez vue est celle de notre garçon
d'écurie. Nous l'avions envoyé jusqu'à la brèche pour

informer la milice de notre situation. Au moment où il débouchait sur la grand-route, six cavaliers ont foncé sur lui. Ils l'ont ramené jusqu'ici, lui ont d'abord coupé les mains et les pieds, puis la tête, juste devant la loge de garde.

— Les chiens! Quelle impudence! ragea le juge. Combien sont-ils?

— Une centaine environ, Excellence, répondit le régisseur. Tous bien armés, batailleurs endurcis et prêts à tout. Ce sont les rescapés d'une redoutable bande de pillards forte de plus de trois cents hommes qui infestait les montagnes du sud de la province, il y a six mois. L'armée les en a chassés, mais ils se sont mis à écumer la campagne, incendiant les fermes et massacrant les habitants. Les patrouilles les ont repoussés d'un endroit à l'autre, tuant les deux tiers d'entre eux environ. Ils se sont enfuis vers le nord et, au moment de la crue, se sont réfugiés dans ces montagnes.

« Ils se sont installés dans des grottes et ont posté des guetteurs au sommet de la montagne ainsi qu'en bas, vers la brèche. Ils avaient l'intention de se tenir tranquilles jusqu'à la fin des crues, mais le jour où le bac a été emporté, n'ayant plus à craindre un assaut des soldats du fort, ils imaginèrent un plan beaucoup plus ingénieux. Six d'entre eux se sont présentés hier à la loge de garde, exigeant deux cents pièces d'or; une cagnotte pour la route, comme ils dirent. Ils partiraient le lendemain, sur les radeaux que certains d'entre eux étaient en train de construire à l'extrémité ouest de l'île. Si nous refusons de payer, ils assailliront cette ferme et sabreront tout le monde. Ils ont très vraisemblablement un espion parmi nos domestiques, car la somme demandée représente à

110

peu près ce que le propriétaire garde en général dans son coffre-fort.

Le régisseur secoua la tête, s'éclaircit la gorge et reprit :

— Mon maître décida de payer. Les brigands avaient dit que leur chef viendrait en personne chercher l'or. Monsieur Min et moi-même sommes allés dans la chambre de mon maître ; il nous a remis la clé du coffre et nous l'avons ouvert. Il était vide : l'or avait été volé. Une des servantes ayant disparu ce même soir, nous en avons déduit que c'était elle la coupable.

« Lorsque nous avons appris au chef des Tigres volants que l'or avait disparu, il est entré dans une rage folle, nous accusant de vouloir gagner du temps par un vil stratagème. Il déclara que si l'or ne lui était pas déposé à sa grotte aujourd'hui, avant la tombée du jour, il viendrait le chercher lui-même avec ses hommes et nous tuerait tous. En désespoir de cause, nous avons envoyé le garçon d'écurie prévenir la milice. Et vous venez d'entendre ce qu'ils lui ont fait.

— Dire que le fort se trouve juste de l'autre côté du fleuve ! maugréa le juge. Et que plus de mille soldats y sont cantonnés !

— Sans compter les centaines d'hommes de la police fluviale, lourdement armés, qui se retrouvent au fort lorsqu'ils sont obligés d'évacuer les postes de contrôle en amont du fleuve, remarqua Yen. Mais comment entrer en contact avec le fort ?

— Pourquoi ne pas allumer un feu ? proposa le juge. Si les soldats le voient, ils…

— Ils ne bougeront pas, toute la ferme brûlerait-elle, répliqua Monsieur Min en jetant un regard sombre au juge Ti.

— C'est exact, Excellence, s'empressa d'ajouter le

régisseur. Seule une grande jonque de guerre pourrait traverser le fleuve dans l'état où il est ; mais ce serait une entreprise considérable et non dépourvue de risques. Ils devraient tout d'abord remorquer la jonque vide sur une assez longue partie du fleuve. Une fois les soldats à bord, il faudrait l'amener à la rame de l'autre côté en négociant lentement le virage et la mouiller dans un endroit protégé, en bas d'ici ; opération exigeant de sérieuses connaissances en matière de navigation. Le commandant du fort serait prêt à prendre ce risque naturellement, s'il savait les Tigres volants bloqués ici — opportunité providentielle d'exterminer ces hors-la-loi une bonne fois pour toutes. Les brigands en sont pleinement conscients, bien sûr, c'est pourquoi ils se font discrets. Lorsque le bac fonctionnait encore, ils ont laissé passer tranquillement un groupe de marchands qui se dirigeaient vers le sud.

— Je dois reconnaître, dit le juge en hochant lentement la tête, que la situation est loin d'être encourageante, c'est le moins que l'on puisse dire.

— Je suis ravi que vous l'ayez enfin compris, Magistrat, remarqua aigrement Monsieur Min.

— Cependant, reprit le juge, cette ferme est bâtie comme une petite forteresse. Si vous donniez des armes aux réfugiés, nous pourrions...

— Mais oui, nous y avons déjà pensé, interrompit Monsieur Min. Vous désirez connaître l'inventaire des armes dont nous disposons ? Deux lances rouillées, quatre arcs de chasse, une douzaine de flèches et trois épées. Pardon, quatre épées, en comptant la vôtre !

— Jusqu'à il y a une centaine d'années, intervint le régisseur, notre famille disposait ici même d'une armurerie parfaitement fournie, et entretenait à demeure une vingtaine de braves, comme garde permanente. Mais toutes ces coûteuses mesures de défense devinrent évidemment inutiles le jour où le fort fut construit. Vous voyez donc, Excellence, que…

L'homme se retourna. L'intendant décharné avançait vers lui à grandes enjambées.

— J'ai demandé au portier de me remplacer à la tour de guet, Monsieur, dit-il respectueusement à Monsieur Min. Le cuisinier est venu me prévenir que le gruau de riz destiné aux réfugiés était prêt.

— Quarante-six bouches de plus à nourrir, précisa d'un ton lugubre Monsieur Min. Je les ai comptés moi-même, hommes, femmes et enfants.

Il poussa un profond soupir avant d'ajouter avec résignation :

— Bon, eh bien, allons-y.

— Ne devrions-nous pas avant tout montrer sa chambre au magistrat, Monsieur ? demanda le régisseur. Il désire peut être se changer.

Monsieur Min hésita un bref instant avant de répliquer sèchement :

— Mon frère en décidera lui-même. C'est lui le maître de maison.

Se tournant vers le juge, il poursuivit :

— Si vous voulez bien nous excuser un instant, Excellence, je vais m'occuper du repas des réfugiés avec Yen et Liao. Tous les domestiques se sont enfuis en apprenant l'arrivée imminente des bandits, voyez-vous. Il ne nous reste plus que le portier et le vieux couple venu avec moi de la ville. Vous comprendrez donc que nous ne puissions vous recevoir avec tous les honneurs dus à votre rang et…

— Naturellement ! s'empressa de répondre le

juge. Ne vous inquiétez surtout pas pour moi. Je dormirai sur ce banc, là-bas, contre le mur, et...

— Mon frère en décidera, répéta fermement Monsieur Min.

Il se leva et quitta la salle suivi de Yen et de l'intendant.

Resté seul, le juge Ti se resservit une tasse de thé. En arrivant, il avait déclaré n'être qu'un simple magistrat, afin de ne pas mettre dans l'embarras son hôte inconnu ; le plus gros propriétaire foncier aurait effectivement été bien en peine de recevoir correctement un fonctionnaire métropolitain d'un rang aussi élevé que celui du juge l'était désormais. Etant donné la situation épineuse qu'il venait de découvrir, il était particulièrement satisfait de ne pas avoir révélé sa véritable position.

Le juge vida sa tasse, se leva et se dirigea vers la porte. Du haut des marches, il contempla la cour, à présent éclairée par des torches. Le régisseur et l'intendant se tenaient auprès d'un énorme chaudron de fer, occupés à remplir de gruau les bols de riz que leur tendaient les réfugiés, les uns après les autres. Monsieur Min surveillait l'opération, réprimandant à l'occasion d'un ton bourru les paysans qui se bousculaient. La moitié d'entre eux étaient des femmes et des enfants, parmi lesquels des nouveau-nés. Il était impossible de laisser ces gens tomber aux mains des bandits. Les Tigres volants tueraient sur place les hommes, les femmes âgées et les nourrissons, et emmèneraient les garçons et les filles pour les vendre comme esclaves.

Il se devait d'intervenir. Tiraillant rageusement sa barbe, il pensa amèrement au caractère tout relatif du pouvoir terrestre. Lui, Président de la Cour suprême de l'Empire fleuri, Président de la Cour métropolitaine de Justice, se voyait, contraint par les circonstances, ramené brusquement au rang d'un simple voyageur totalement impuissant !

Faisant demi-tour, il retraversa la salle jusqu'au petit cabinet de travail sur la gauche. Après s'être installé dans le vaste fauteuil, il croisa les bras dans ses larges manches et contempla le paysage aux couleurs passées qui ornait le mur d'en face. Il était encadré de part et d'autre par deux rouleaux longs et étroits, portant des sentences classiques, tracées d'une calligraphie hardie et originale. On pouvait lire sur celui de droite :

En haut, le Souverain dirige le royaume,
en accord avec le Mandat céleste.
Celui de gauche portait la sentence parallèle :
En bas, les paysans sont les fondations de l'Etat,
ils cultivent la terre en accord avec les saisons.

Le juge Ti hocha la tête d'un air approbateur. Il resta assis un long moment, le regard perdu dans le vague, quand soudain il se leva, sortit les mains de ses manches et approcha la chandelle. Il pencha le pot de porcelaine, versant un peu d'eau sur le morceau d'ardoise qui apparemment devait servir de pierre à encrer. Puis, après avoir choisi un bâtonnet d'encre dans la boîte laquée, il le frotta contre la pierre, tout en réfléchissant à ce qu'il devait écrire. Enfin, il prit quelques feuilles d'un épais papier chiffon artisanal, posées à côté des livres de comptes, choisit un pinceau et rédigea un communiqué officiel de sa belle calligraphie énergique. Lorsqu'il eut terminé, il recopia le texte un certain nombre de fois.

— J'ai l'impression de faire des lignes, comme à l'école ! maugréa-t-il avec un pâle sourire.

Après avoir apposé sur toutes les feuilles le sceau officiel qu'il portait toujours à la ceinture, attaché à un cordon de soie, il les roula et les glissa dans sa manche.

Se carrant de nouveau dans le fauteuil, il essaya d'évaluer ses chances de succès. Bien que courbatu par sa longue chevauchée et malgré son mal au dos, son intelligence était en éveil. Il réalisa brusquement que pour la première fois depuis son départ de Pei-tcheou, sa torpeur l'avait quitté. Il avait été ridicule de sa part de s'être laissé aller aux idées noires. Il devait agir. C'est ce que le cher défunt qu'il avait laissé à Pei-tcheou, son fidèle conseiller, le vieux sergent Hong, et la jeune femme de la Colline aux Herbes médicinales attendaient de lui. Il lui fallait envisager d'autres plans pour sauver tous ces gens réfugiés dans l'enceinte de la ferme. Si son premier projet échouait, il pourrait toujours se livrer aux bandits, révéler sa véritable identité et leur promettre une rançon beaucoup plus élevée que les deux cents pièces d'or exigées. Il lui faudrait dans ce cas connaître le sort d'un otage, avec la perspective peu réjouissante qu'ils lui coupent les oreilles ou des doigts pour faire accélérer les négociations. Cependant, il savait comment s'y prendre avec ces malandrins. Quoi qu'il en soit, c'était le moyen le plus sûr d'aboutir à une issue satisfaisante. Le juge se leva et se dirigea de nouveau vers la cour glaciale.

Les réfugiés avalaient gloutonnement leur gruau. Le juge se promena parmi eux jusqu'à ce qu'il eût retrouvé le jeune garçon auquel il avait confié son cheval. Voyant qu'il venait de terminer son frugal repas, il lui demanda de lui montrer les écuries.

Dans l'enclos découvert, le vent du nord les cingla de plein fouet. Il n'y avait personne alentour. Attirant le jeune garçon à l'écart, à l'abri d'un mur, il eut une longue conversation avec lui. Enfin il lui posa une question et, comme le garçon acquiesçait énergiquement, il lui remit les feuilles roulées.

— Je te fais confiance ! dit-il en lui donnant une tape amicale sur l'épaule.

Et le juge retourna dans la cour.

Monsieur Min était au bas des marches du bâtiment principal.

— Je vous ai cherché partout ! pesta-t-il. Mon frère vous prie de monter le voir tout de suite, avant le riz du soir.

Min lui fit emprunter un large escalier, à côté de l'entrée de la salle, jusqu'à un vaste palier faiblement éclairé sur lequel ouvraient plusieurs portes ; il devait probablement s'agir des appartements de la famille Min. Monsieur Min frappa doucement à la porte de gauche. Elle s'entrouvrit, laissant apparaître le visage ridé d'une vieille femme. Min lui chuchota quelques mots. Au bout d'un moment, la porte fut ouverte en grand et Min fit signe au juge de le suivre.

Une odeur douceâtre de plantes médicinales flottait dans la pièce surchauffée. Elle provenait d'un récipient qui fumait sur le grand brasero de bronze posé par terre, au fond de la chambre. Des charbons rougeoyaient. La pièce, meublée avec simplicité, était brillamment éclairée par deux grands chandeliers de cuivre placés sur une petite table. Le mur du fond était entièrement occupé par un gigantesque lit à baldaquin d'ébène finement sculptée, aux lourds rideaux de brocart ouverts. Monsieur Min invita le juge à s'asseoir dans le fauteuil, à la tête du lit ; pour sa part, il prit place sur un tabouret juste à côté. La vieille femme resta debout au pied du lit, les mains croisées dans ses longues manches.

Le juge dévisagea le vieillard qui l'observait, calé contre un oreiller, fixant sur lui des yeux éteints et ourlés de rouge. Ils semblaient étrangement grands dans ce visage émacié et creusé de rides. Des mèches grasses de cheveux gris lui collaient au front, large et luisant de sueur ; une moustache grise, clairsemée, surmontait ses lèvres minces et pincées. Une barbe blanche s'étalait en broussaille sur l'épais couvre-lit de soie.

— Ce monsieur est le magistrat Ti, frère-né-avant-moi, chuchota Monsieur Min. Il faisait route vers la capitale lorsqu'il a été surpris par les inondations. Il...

— Je l'avais vu, je l'avais vu dans l'almanach ! fit brusquement le vieux propriétaire d'une voix haut perchée et chevrotante. Lorsque la neuvième constellation entre dans le signe du Tigre, une terrible catastrophe se prépare. C'est ce qu'indique l'almanach, et très clairement. Catastrophes et violences... Mort violente...

Le vieillard ferma les yeux en respirant bruyamment. Puis il poursuivit, les yeux toujours clos :

— Voyons, quand cela s'est-il produit pour la dernière fois ? Ah oui, c'était il y a douze ans ! Je venais de commencer à monter à cheval, oui... c'est cela... L'eau montait, montait, elle arrivait jusqu'aux marches de la loge de garde. J'ai vu de mes propres yeux...

Le vieillard fut interrompu par une quinte de toux qui secoua violemment ses frêles épaules. La vieille femme s'approcha aussitôt du lit et donna à boire à son époux dans un grand bol de porcelaine.

Une fois la toux calmée, Monsieur Min reprit :

— Le magistrat Ti doit rester ici ce soir, frère-né-avant-moi. Je pensais que la petite chambre d'en bas pourrait peut-être...

Alors le vieillard ouvrit brusquement les yeux. Fixant le juge d'un air songeur, il marmonna :

— Tout concorde parfaitement. Le signe du Tigre... Les Tigres volants sont arrivés, l'inondation aussi, je suis tombé malade et Ki-you est morte. Nous ne pourrons pas l'enterrer, quand bien même...

Le vieillard fit un effort désespéré pour se redresser et s'asseoir ; des mains noueuses sortirent de sous le couvre-lit. Se radossant contre l'oreiller, il dit d'une voix rauque à Monsieur Min :

— Ils vont hacher son cadavre en morceaux, les monstres. Tu dois essayer de...

Comme il suffoquait, son épouse le prit par les épaules, puis le vieil homme ferma de nouveau les yeux.

— Ki-you était la fille de mon frère, chuchota dans un souffle Monsieur Min au juge Ti. Elle n'avait que dix-neuf ans et était très douée. Mais elle est née avec une santé délicate. Elle avait le cœur fragile, voyez-vous. Toutes ces émotions l'ont épuisée. Elle est morte hier soir, juste avant le dîner. Une crise cardiaque. Mon frère l'adorait. Cette affligeante nouvelle l'a fait rechuter, il...

Monsieur Min laissa sa phrase en suspens.

Le juge hocha la tête d'un air distrait. Il regardait le grand buffet, contre le mur latéral, à côté duquel se trouvaient selon l'usage les quatre coffres à vêtements, un par saison, et un autre, plus grand, en fer, fermé par un gros cadenas de cuivre. Comme il tournait la tête, il croisa le regard du malade. Ses yeux brillaient à présent d'une lueur sournoise. Son épouse était allée attiser le brasero, à l'autre bout de la chambre.

— Oui, c'est là qu'était l'or ! ricana le vieillard. Quarante splendides lingots d'or, Magistrat ! L'équivalent de deux cents pièces d'or !

— C'est Aster qui l'a volé, la sale petite catin ! fit une voix sèche et cassante derrière le juge.

C'était la vieille femme ; elle fixait un regard mauvais sur le grabataire.

— Aster était une jeune servante, expliqua Min au juge d'un air gêné. Elle a disparu hier soir, pour rejoindre les brigands.

— Elle voulait coucher avec ces chiens, avec tous, sans exception, ajouta la vieille. Et ensuite, s'enfuir avec l'or.

Le juge se leva et marcha vers le coffre-fort. Il l'examina avec curiosité.

— La serrure n'a pas été forcée, remarqua-t-il.

— Elle avait la clé, pardi ! repartit la vieille.

La main décharnée du malade s'agrippa à la manche de son épouse. Le vieillard lui jeta un regard implorant. Il désirait parler, mais seuls des sons incohérents franchirent ses lèvres contractées par l'effort. Soudain, des larmes apparurent au bord de ses yeux et se mirent à couler le long de ses joues creuses.

— Non, elle ne l'a pas pris ! Tu dois me croire ! sanglota-t-il. Comment aurais-je pu, malade comme je suis... Personne n'a pitié de moi, personne !

Son épouse se pencha vers lui et lui essuya le nez et la bouche avec un mouchoir. Le juge détourna les yeux et se pencha à nouveau sur le coffre-fort. Il était recouvert d'épaisses plaques de fer, et le gros cadenas était intact, sans la moindre éraflure. Lorsqu'il retourna vers le lit, le vieillard s'était ressaisi.

— Il n'y avait que moi, dit-il d'un ton las au juge,

120

mon épouse et ma fille, à savoir où se trouvait la clé. Personne d'autre.

Un faible sourire se dessina lentement sur ses lèvres exsangues. Tendant la main droite, il effleura de ses longs doigts osseux le complexe motif floral sculpté du bois de lit.

— Aster ne cessait de rôder par ici, surtout quand tu avais de la fièvre ! fit la femme avec une vive animosité. Tu lui as indiqué la cachette sans même t'en rendre compte !

Le vieillard étouffa un petit rire. Ses doigts maigres venaient de se refermer sur un bouton de fleur sculpté dans le bois. Il y eut un déclic et un petit panneau s'ouvrit au bord du lit. Dans une cavité peu profonde se trouvait une grosse clé de cuivre. Tout en gloussant de plaisir comme un enfant, le vieux monsieur s'amusa à ouvrir et à fermer le panneau, inlassablement.

— Un beau brin de fille ! pouffa le vieillard. De la meilleure souche paysanne qui soit !

Quelques gouttes de salive perlèrent au coin de ses lèvres.

— Tu aurais dû penser au mariage de ta fille, au lieu de t'occuper de cette garce ! remarqua sa femme.

— Oh oui, ma chère fille ! dit le propriétaire foncier, retrouvant son sérieux. Ma chère et tendre enfant, si intelligente !

— C'est moi qui ai tout arrangé avec la famille Liang ; c'est moi qui lui ai préparé son trousseau ! vitupéra la vieille femme. Pendant que derrière mon dos, tu...

— Je ne voudrais pas vous déranger plus longtemps, interrompit le juge en faisant signe à Monsieur Min de se lever.

— Attendez ! s'écria tout à coup le vieillard, fixant

le juge d'un regard dur et suspicieux, avant de déclarer d'une voix ferme : Vous occuperez la chambre de Ki-you, Magistrat.

Puis il poussa un profond soupir et referma les yeux.

Monsieur Min raccompagna le juge Ti à la porte, tandis que la vieille femme accroupie auprès du brasero en attisait les braises avec des pincettes de cuivre tout en maugréant.

— Votre frère est très malade, remarqua le juge en descendant l'escalier.

— En effet, répondit Monsieur Min. Mais nous serons bientôt tous morts. Ki-you a eu de la chance, elle est morte paisiblement.

— Juste avant son mariage, apparemment.

— Oui, elle était fiancée depuis longtemps au jeune Liang, l'aîné des fils du propriétaire d'un vaste domaine qui s'étend au-delà du fort. Ils devaient se marier le mois prochain. Un charmant jeune homme, pas particulièrement beau, mais d'un caractère à toute épreuve. Je l'ai rencontré une fois en ville avec son père. Quand je pense que nous ne pourrons même pas les prévenir de la mort de Ki-you !

— Où repose son corps ?

— Dans un cercueil provisoire, dans notre petite chapelle bouddhique. Ah ! Yen et Liao nous attendent déjà ! s'exclama-t-il en arrivant au bas de l'escalier. Vous n'avez pas l'intention de vous rendre immédiatement dans votre chambre, n'est-ce pas ? C'est inutile, ce me semble. Il y a un petit cabinet de toilette juste dehors.

En entrant dans la vaste salle du rez-de-chaussée, le juge découvrit Min, Yen et Liao assis à la grande table du fond. Quatre bols de riz en terre cuite y avaient été disposés ainsi que quatre plats de légumes au vinaigre et un autre de poisson salé.

— Veuillez nous excuser pour cette maigre chère ! dit Min contraint d'observer les règles de l'hospitalité.

Levant ses baguettes pour signifier à ses hôtes que le repas pouvait commencer, il grommela :

— Et les provisions s'amenuisent. Mon frère aurait dû veiller à ce que…

Min secoua la tête et enfouit son visage dans son bol de riz.

Ils mangèrent en silence un bon moment. Le juge avait faim : il trouva ces mets simples et nourrissants tout à fait à son goût. Le régisseur alla chercher sur la table murale un pichet de vin et quatre petites tasses de porcelaine. Comme il servait le vin tiède, l'intendant lui jeta un regard surpris et dit avec humeur :

— Ainsi, c'est toi Yen qui as sorti ce pichet ! Comment peux-tu encore songer à boire du vin au lendemain de la mort de Mademoiselle Ki-you, et dans la situation où nous nous trouvons, qui plus est !

— Pourquoi laisserions-nous ces brigands sans foi ni loi siffler notre vin ? repartit avec indifférence le régisseur. Le meilleur cru, par-dessus le marché ! Vous n'y voyez pas d'inconvénient, n'est-ce pas, Monsieur Min ?

— Allez-y, allez-y ! grommela le gros homme la bouche pleine.

L'intendant baissa la tête. Le juge remarqua que ses mains tremblaient. Il goûta le vin et le trouva exquis.

Tout à coup, l'intendant reposa bruyamment ses baguettes. Jetant un coup d'œil gêné au juge, il dit timidement :

— En tant que magistrat, vous devez avoir eu

souvent à traiter avec des voleurs ; brigands et autres, Excellence. Ne pourrions-nous pas les convaincre d'accepter une sorte de lettre de change ? Le propriétaire est en très bons termes avec deux banquiers de la ville et...

— De ma vie je n'ai vu de bandits accepter autre chose que des espèces sonnantes et trébuchantes, répondit sèchement le juge.

Le magistrat se leva et ôta sa pelisse de fourrure. Il portait dessous une longue robe de voyage de coton brun matelassé, retenue par une large ceinture de soie noire enroulée plusieurs fois autour de la taille. Comme il déposait son manteau sur la table murale, il déclara :

— Ne soyons pas trop pessimistes pour l'instant ! Je vois plus d'un moyen de nous sortir de cette situation.

Puis il retourna s'asseoir et repoussa en arrière son bonnet de fourrure. Posant les coudes sur la table, il reprit en regardant ses trois compagnons bien en face :

— Certes, les brigands doivent être de fort méchante humeur, convaincus que votre histoire d'or volé n'était qu'une échappatoire. Et ils sont pressés par le temps, parce qu'ils doivent avoir rejoint leurs radeaux avant la décrue. Ils redoutent les soldats du fort. Or il est très difficile de traiter avec des individus en proie à la peur. Il ne faut vous attendre de leur part à aucune pitié. Inutile non plus de parlementer avec eux avant de nous trouver nous-mêmes en position de force. Je suppose que vos fermiers ont l'habitude d'aller pêcher dans le fleuve en été, non ?

Comme le régisseur et l'intendant opinaient, le juge poursuivit :

— Parfait. A mon avis, les bandits attaqueront à l'aube. Ce soir, vous allez choisir deux hommes bien bâtis sachant pêcher, vous leur donnerez un grand filet et les ferez monter de ce côté-ci du toit de la loge de garde. Ces préparatifs doivent être tenus secrets, car il se peut que les brigands aient un espion infiltré parmi les réfugiés. Quand les bandits arriveront, je sortirai leur parler. Je sais comment m'y prendre avec ce genre d'individus. Je dirai à leur chef que nous sommes bien armés, mais que nous n'opposerons aucune résistance s'ils nous laissent la vie sauve : qu'ils entrent dans la maison et y prennent tout ce qu'ils désirent, y compris les nombreux objets de valeur en or et en argent. Ils accepteront le marché, naturellement. Car cela leur permettra de piller tranquillement la maison et de nous assassiner ensuite. Mais dès que le chef et ses gardes du corps auront franchi le portail, nos hommes leur lanceront du toit le filet dessus tandis que nous refermerons les portes au nez et à la barbe du reste de la bande. Le chef et ses hommes seront assurément très bien armés, eux, mais une fois prisonniers dans le filet, il nous sera facile de les maîtriser avec quelques coups de fléau bien sentis. Ainsi, nous aurons des otages et pourrons entamer des négociations sérieuses.

— Ce n'est pas une mauvaise idée, déclara Monsieur Min en approuvant de la tête.

Le visage de l'intendant s'était éclairé, mais le régisseur fit la moue et dit d'un air préoccupé :

— Beaucoup trop risqué ! S'il y a le moindre problème, les vauriens prendront tout leur temps pour nous tuer : ils nous tortureront !

Ignorant les exclamations affolées de Min et de Liao, le juge déclara avec fermeté :

— Si cela se passe mal, vous n'aurez qu'à refermer la porte derrière moi. Je me débrouillerai tout seul.

Et il ajouta avec un léger sourire :

— Je suis né sous le signe du Tigre, savez-vous !

Monsieur Min le dévisagea d'un air pensif, puis dit au bout d'un moment :

— C'est d'accord. Je vais faire préparer le piège. Venez m'aider, Liao.

Il se leva vivement et demanda :

— Voulez-vous conduire le magistrat à sa chambre, Yen ? Je dois aller prendre mon tour de garde.

Et, à l'adresse du juge :

— Nous nous relayons toutes les trois heures, au cas où les brigands surgiraient, et ce toute la nuit.

— Je me joins à vous, bien entendu, dit le juge. Pourrais-je prendre mon tour juste après vous, Monsieur Min ?

Monsieur Min protesta qu'il lui était impossible d'accepter une telle proposition, mais devant l'insistance du juge, il fut décidé que ce dernier prendrait le relais à la tour de guet de minuit à trois heures du matin. Yen le remplacerait ensuite jusqu'à l'aube.

Monsieur Min et l'intendant partirent pour la remise où étaient rangés les filets de pêche. Le juge mit son manteau de fourrure sur l'épaule, prit son épée et suivit Yen dans l'escalier. Le régisseur le conduisit jusqu'au premier palier d'où partait un petit escalier vermoulu montant à l'étage supérieur. Là, un simple couloir se terminait par une unique porte en bois massif.

Yen s'arrêta devant et remarqua d'un air contrit :

— Je regrette que le maître vous ait destiné cette chambre, Excellence. J'espère que cela ne vous dérange pas de dormir dans une pièce où hier soir seulement... Je pourrais fort bien vous en trouver

126

une autre au rez-de-chaussée, personne ne saura que...

— Cette chambre me convient parfaitement, coupa le juge.

Le régisseur ouvrit la porte et le fit entrer dans une pièce obscure et glaciale. Tout en allumant la chandelle, sur la table basse, il reprit :

— Enfin, c'est la chambre la mieux meublée de la maison, naturellement. Mademoiselle Ki-you avait un goût exquis, Excellence, comme vous pouvez le constater vous-même.

Il montra d'un geste ample tous les meubles de la chambre. Désignant les larges portes coulissantes qui occupaient la plus grande partie du mur opposé, il expliqua :

— Elles donnent sur un balcon qui occupe toute la largeur de ce dernier étage. Mademoiselle Ki-you s'y asseyait les soirs d'été pour y jouir du spectacle de la lune sur les montagnes.

— Elle était toute seule à cet étage ?

— Oui, il n'y a pas d'autres chambres. A l'origine, cette pièce servait de débarras, paraît-il. Mais Mademoiselle Ki-you aimait bien la vue et le calme de ce lieu, et le maître, son père, la lui a donnée, bien qu'elle eût dû normalement loger dans les appartements des femmes, dans l'aile ouest du bâtiment. Eh bien, je vais vous envoyer le vieux domestique de Monsieur Min avec du thé chaud. Reposez-vous bien, Excellence ! Je viendrai vous chercher à minuit.

Quand le régisseur eut refermé la porte derrière lui, le juge remit sa pelisse de fourrure car il faisait un froid glacial dans la pièce, et un mauvais courant d'air s'infiltrait par les portes coulissantes. Il déposa son épée sur la table en bois de rose, au centre de l'épais tapis bleu, puis examina nonchalamment la chambre. Dans le coin, à droite de l'entrée, se trouvait un lit étroit, aux quatre montants duquel pendait un délicat rideau de gaze. A côté du lit, les quatre coffres à vêtements en cuir laqué de rouge étaient empilés et l'on avait placé auprès des portes coulissantes une table de toilette sur laquelle étaient encore disposées des petites boîtes de poudre bien alignées, sous un miroir rond en argent poli. A gauche de l'entrée, il découvrit un luth à sept cordes prêt à l'usage sur une haute table à musique oblongue, puis une charmante petite bibliothèque de bambou verni. Dans le coin, près des portes coulissantes, il y avait un secrétaire en ébène sculptée. Le juge s'en approcha pour regarder de plus près le tableau accroché au mur. Il représentait une branche de prunier en fleur, bel exemple de l'œuvre d'un maître ancien. Il remarqua que la pierre à encrer, le porte-pinceaux, le presse-papier et tout le nécessaire à écrire étaient des pièces de valeur, choisies visiblement avec amour. La chambre portait la marque d'une personnalité bien précise : celle d'une jeune fille cultivée, au goût délicat.

Le magistrat s'assit sur la chaise de bambou, à la table centrale, mais il se releva brusquement, sentant le siège ployer sous son poids. La jeune morte devait être une personne menue. Après avoir approché le massif tabouret d'ébène de la table à musique, il s'y installa, étendit les jambes, puis écouta un long moment le mugissement du vent qui tourbillonnait autour du toit.

Tout en caressant lentement sa longue barbe, le juge s'efforça de remettre de l'ordre dans la confusion d'idées qui assaillaient son cerveau. Il n'était pas sûr que la ruse visant à attraper le chef des bandits dans le filet de pêche réussisse. Il avait fait cette proposition avant tout pour redonner courage au vieux Monsieur Min et le tirer de sa léthargie fataliste. Il n'était pas certain non plus que le plan qu'il venait de mettre à exécution fonctionne. Le plus sûr était encore à ses yeux de parlementer personnellement avec les brigands. Les autorités répugnaient à promettre leur grâce aux bandits qui détenaient un fonctionnaire en otage, en échange de la liberté de celui-ci. Et elles avaient parfaitement raison, car ce genre d'arrangement ne pouvait que nuire à leur prestige et inciter d'autres scélérats à user du même expédient. Toutefois, peut-être feraient-elles une exception pour lui, étant donné le rang élevé auquel il venait d'être promu. Et s'il sortait vivant de cette mésaventure, il veillerait à ce que les vauriens soient finalement châtiés comme ils le méritaient. Enhardis par leur succès, ils ne tarderaient pas à commettre de nouveaux forfaits, et c'est alors qu'il leur réglerait leur compte. Car la grâce ne s'applique qu'aux crimes accomplis.

Le juge se demanda rêveusement qui avait pu voler l'or du propriétaire terrien. La scène fort gênante dont il avait été témoin dans la chambre du malade prouvait que la servante avait eu maintes occasions de découvrir la cachette de la clé. Mais il avait également ressenti une impression étrange, dont il ne parvenait à saisir le sens véritable. Le vieillard était censé avoir adoré sa fille ; or il n'avait fait qu'une seule fois réellement allusion à elle, et ce d'un ton plutôt désinvolte. Et pourquoi avait-il tant insisté pour qu'il occupât la chambre de la jeune fille ?

Un coup frappé à la porte le tira de ses réflexions. Un vieillard voûté, en longue robe bleue de vulgaire coton entra. Il déposa silencieusement devant le juge une théière dans son panier ouatiné, ainsi qu'un baquet d'eau au pied de la table de toilette. Comme il se dirigeait vers la porte, le juge lui fit signe d'attendre un instant.

— Mademoiselle Ki-you était-elle toute seule lorsqu'elle a eu cette crise cardiaque ? demanda le juge.

— Oui, Noble Seigneur.

Et le vieillard se lança dans une longue histoire, dans un patois local impossible à suivre.

— Parle plus doucement, veux-tu ! l'interrompit-il avec humeur.

— Je disais qu'elle était allongée là sur son lit, répéta le vieux domestique d'un ton bourru. Elle s'était habillée de pied en cap pour dîner ; elle avait mis sa robe de soie blanche, la meilleure qualité qui soit. Ça n'a pas dû être donné, à mon avis. Comme elle ne descendait pas dîner, Monsieur Yen est monté frapper à sa porte. Elle ne répond pas, alors Monsieur Yen redescend et va chercher le maître qui vient me chercher à son tour. Le maître et moi, on monte et on la trouve là, sur le lit, comme je vous l'ai déjà dit. Nous pensons qu'elle dort. Mais pas du tout ! Quand le maître l'appelle, elle ne répond pas. Il se penche sur elle, lui prend le pouls, lui soulève les paupières. « C'est le cœur qui a lâché », il me dit tout pâle. « Va chercher ta femme. » Je vais chercher ma vieille femme et une civière en bambou, et on la descend à la chapelle. Elle était pas légère, croyez-moi ! Le maître appelle Monsieur Liao, l'intendant, pour nous aider à la mettre dans un cercueil ; mais le pauvre bougre est tellement retourné par la nouvelle qu'il est bon à rien. Alors j'ai dit ne vous inquiétez pas, on va bien y arriver. Et on y est arrivés.

— Je vois, fit le juge. Triste histoire.

— Pas aussi triste que d'avoir fait toute la route

depuis la ville pour se faire hacher menu par une bande de pillards. Enfin... j'ai vécu assez vieux et sans manquer de rien ; mes enfants sont grands et tous mariés, alors de quoi aurais-je à me plaindre ? Je dis toujours...

Sa voix fut brusquement couverte par le crépitement de la pluie torrentielle sur les tuiles.

— Comme si on manquait d'eau ! maugréa le vieillard avant de quitter la chambre.

Si ce déluge continuait, se dit le juge, l'eau allait effectivement monter encore. Par ailleurs, cela empêcherait les Tigres volants de lancer une attaque nocturne. Il se dirigea en soupirant vers la table de toilette et se lava le visage et les mains. Puis il ouvrit le tiroir du haut et chercha parmi les affaires de toilette un peigne pour sa barbe et ses favoris. Il fut étonné d'y découvrir un petit morceau de brocart ; cela lui sembla un étrange endroit pour ranger un manuscrit ou une peinture. Après en avoir dénoué le ruban, il déroula le tissu : c'était une très jolie miniature représentant une jeune fille. Il s'apprêtait à l'enrouler de nouveau lorsque son regard fut attiré par une inscription dans la marge : « A ma fille Ki-you, à l'occasion de l'anniversaire de ses seize ans. » Ainsi, telle était la jeune fille dont il occupait à présent la chambre ! Tout au moins, telle qu'elle était il y a trois ans. Posant le portrait sur la table, le juge entreprit de l'observer attentivement.

C'était un portrait en buste, le visage tourné de trois quarts. La jeune fille portait une robe lilas au motif de fleurs de prunier, et tenait dans sa frêle main droite une branche de ces mêmes fleurs. Ses cheveux noirs et soyeux étaient coiffés en arrière et réunis en une queue sur la nuque. Ses épaules étroites et tombantes laissaient imaginer un corps plutôt mince, et l'on pouvait deviner une légère voussure du dos. Elle avait un visage étonnant, non pas beau au regard des critères généralement admis, mais étrangement fascinant. Les sourcils étaient légèrement trop hauts, le nez bien fait mais un peu trop aquilin, tandis que la pâleur des joues creuses et les fines lèvres exsangues témoignaient d'une santé depuis longtemps défaillante. C'était le regard intense et captivant de ses grands yeux qui lui conférait ce charme mystérieux. Mystérieux, car il y brillait une lueur possessive, presque avide, plutôt troublante.

Le peintre n'était certainement pas dénué de talent. Il avait doté ce portrait de tant de vie que le juge se sentit brusquement mal à l'aise, comme s'il se trouvait dans la chambre d'une jeune fille toujours vivante et susceptible d'y faire irruption à tout moment.

Contrarié, le juge reposa le portrait. Il écouta un moment le bruit de la pluie, en essayant de deviner en quoi précisément les yeux de la jeune fille l'avaient troublé. Son regard fut attiré vers la petite bibliothèque, il se leva aussitôt et s'en approcha. Il négligea tout de suite les ouvrages habituels, généralement présents dans toutes les chambres de jeunes filles, tels que *La Maîtresse de maison accomplie* ou le *Traité de savoir-vivre à l'usage des Dames*. Les œuvres choisies de quatre poètes romantiques l'intéressèrent davantage, car les pages cornées étaient la preuve d'une lecture assidue et passionnée de la part de la jeune fille. Il allait les remettre en place quand il changea brusquement d'avis et relut les noms des poètes. Oui, ils s'étaient tous les quatre suicidés. Tiraillant pensivement sa moustache, le juge s'efforça d'envisager la conséquence éventuelle d'une telle découverte. Puis il passa en revue les autres livres. La perplexité se peignit sur son visage : ce n'était qu'ouvrages taoïstes traitant de diététique et autres méthodes pour guérir les maladies et prolonger la vie, et exposant des recettes alchimiques pour préparer l'élixir de longue vie. Le juge retourna vers la table et réexamina le portrait en l'approchant de la chandelle.

Il commençait à comprendre. Souffrant d'une maladie de cœur chronique, la malheureuse enfant était obsédée par l'idée de mourir jeune, ou de mourir avant d'avoir réellement vécu. Cette peur morbide l'avait poussée à essayer de trouver un réconfort dans les ouvrages de ces quatre poètes désabusés et las de vivre. Quant à elle, elle avait des yeux avides, avides de vie, et d'une avidité telle qu'elle attirait irrésistiblement l'observateur vers elle, comme poussé par le vain désir de se voir communiquer une part de son énergie. Il comprit également alors pourquoi elle avait rangé ce portrait dans le tiroir de sa table de toilette : afin de le comparer chaque jour avec son reflet dans le miroir, à l'affût du moindre indice de détérioration de sa santé. Quelle jeune fille touchante !

Sa prédilection pour le motif du prunier en fleur était tout à fait explicable. Les petites fleurs blanches éclosant sur une vieille branche noueuse, apparemment morte, étaient le symbole traditionnel du printemps, époque où la vie assoupie durant l'hiver renaît dans toute sa splendeur. Le juge marcha vers les coffres à vêtements et ouvrit le premier de la pile. Presque tous ses effets, soigneusement pliés, étaient ornés d'une fleur de prunier, tissée ou brodée.

Le juge se versa une tasse de thé qu'il but avec avidité. Puis il ôta son bonnet et le posa sur la table, à côté de son épée. Après avoir enlevé ses bottes, il s'allongea sur le lit, tout habillé, gardant son manteau de fourrure. Ecoutant le crépitement monotone de la pluie, il essaya de trouver le sommeil, mais le portrait de l'enfant défunte lui revenait sans cesse à l'esprit.

« Je reconnais que ces fleurs sont quelque peu communes, mais pourquoi ne les aimerait-on pas, après tout ? »

Le juge ouvrit les yeux en sursaut et se redressa sur le lit. Dans la lueur vacillante de la chandelle, il vit qu'il était seul dans la chambre. Il avait dû entendre en rêve la voix timide de la jeune fille. C'était exactement la question qu'elle semblait poser à qui regardait son portrait. Il referma résolument les yeux et s'abandonna au bruit apaisant de la pluie. La fatigue ne tarda pas à avoir raison de ses sens, et il sombra dans un lourd sommeil sans rêves.

Ce fut Yen qui le réveilla en le secouant par l'épaule. En se levant, il remarqua que la pluie avait cessé.

— Quand s'est-il arrêté de pleuvoir ? demanda-t-il au régisseur en ajustant son bonnet.

— Il y a une demi-heure environ, Excellence. Ce n'est plus qu'une petite bruine. Juste avant de quitter la tour de guet, j'ai aperçu de la lumière dans les grottes des bandits. J'ignore ce qu'ils préparent.

Le régisseur descendit avec le juge dans la salle du rez-de-chaussée, éclairant la voie avec une petite lampe-tempête recouverte de papier huilé. Il ne restait du grand feu que quelques braises rougeoyantes, mais il faisait encore bon dans la pièce.

La cour humide et obscure paraissait par contraste encore plus froide et lugubre. En passant près de la loge de garde, le régisseur leva sa lanterne et éclaira trois hommes tapis contre le mur.

— Ils ont disposé un filet sur le toit, Excellence, chuchota Yen. Ces trois hommes sont d'excellents pêcheurs et ils grimperont sur le toit en un clin d'œil.

Le juge opina de la tête. Le vent était en train de tomber, remarqua-t-il.

Suivant Yen de près, il gravit les marches de pierre étroites et glissantes qui menaient en haut du mur d'enceinte. Puis il suivit le régisseur le long du rempart jusqu'à la petite tour de guet bâtie au coin sud-est. Une échelle de bois branlante conduisait au sommet, où il découvrit une petite plate-forme entourée d'une solide balustrade en gros rondins. Les poutres basses du toit pointu les protégeraient non seulement de la pluie et du vent, mais aussi des flèches d'un éventuel assaillant.

— En vous asseyant sur ce banc, Noble Juge, vous serez bien à l'abri, et vous aurez également un excellent point de vue sur les environs.

Yen posa la lanterne sur le plancher, mais ne fit pas mine de vouloir s'éloigner.

— Vous feriez mieux d'aller vous reposer un peu avant de revenir me relayer, lui conseilla le juge.

— Je ne me sens nullement fatigué, Noble Juge. C'est l'excitation du moment, j'imagine. Cela vous dérange-t-il que je vous tienne un peu compagnie ?

— Pas le moins du monde, répondit le juge en désignant le banc où Yen prit place à ses côtés.

— On les voit parfaitement à présent, Noble Juge ! Regardez, ils ont allumé un feu, devant la plus grande des grottes. Que peuvent-ils bien faire ?

Le juge Ti scruta le flanc de la montagne.

— Le Ciel seul le sait, dit-il en haussant les épaules. Ils ont peut-être besoin de se réchauffer.

Il tourna la tête vers le sud. Pas une lumière ne brillait dans l'obscurité, et l'on n'entendait que le grondement sourd du fleuve. Le juge resserra son manteau contre lui. Si le vent s'était calmé, il faisait encore très froid là-haut.

— Lorsque je suis allé voir le vieux propriétaire, dit-il en frissonnant, il m'a semblé qu'il perdait la tête par moments. Mais à part ça, il m'a fait l'impression d'être un vieux monsieur clairvoyant.

— Aussi clairvoyant que possible! C'est un homme sévère, mais juste et estimé, toujours à l'écoute des besoins de ses fermiers. Rien d'étonnant qu'il soit aussi populaire dans la région. Jusqu'à ce qu'il tombe malade, il avait une vie plutôt agréable ici. Son travail consistait essentiellement à faire la tournée de ses fermes, collecter les fermages et écouter les doléances. C'était une vie monotone, certes, jusqu'à l'inondation, bien sûr! Grands dieux, était-ce différent en ville! Connaissez-vous la capitale de notre province, Noble Juge?

— Je n'y ai fait qu'y passer une ou deux fois. C'est une ville très animée.

— Animée, vous pouvez le dire! Mais chère aussi! Il faut beaucoup d'argent pour s'amuser comme on le désire. Et j'appartiens à la branche la plus pauvre de la famille, voyez-vous. Mon père possède un petit commerce de thé, qui lui permet de subvenir aux besoins quotidiens de la famille, mais sans plus. C'est ici que se trouve la fortune, et ce depuis des générations. Le vieux a d'importantes quantités d'or placées en lieu sûr en ville. Sans parler de ses investissements à la campagne.

— Qui héritera de cette fortune à la mort de ce vieux monsieur?

— Maintenant que Mademoiselle Ki-you est

136

morte, tout reviendra à son frère, Monsieur Min. Et il a déjà plus qu'il ne lui en faut ! Mais cela ne le dérange pas d'en avoir davantage, certainement pas !

Après un bref silence, le juge demanda d'un air détaché :

— Etiez-vous présent lorsqu'on a découvert la jeune fille morte ?

— Hein ? Présent ? Non, je n'étais pas là. Mais c'est moi qui me suis aperçu qu'il se passait quelque chose d'anormal. Mademoiselle Ki-you s'était sentie un peu déprimée dans l'après-midi, comme nous tous, semble-t-il, et la maîtresse a dit qu'elle était montée plus tôt que d'habitude. Ne la voyant pas apparaître dans les appartements de la maîtresse pour le riz du soir, et comme elle ne répondait pas lorsque je suis monté frapper à sa porte, je suis allé prévenir Monsieur Min. Il est monté avec son domestique et l'a découverte sur son lit, toute habillée, morte.

— Ne serait-il pas envisageable qu'elle se fût suicidée ?

— Suicidée ? Grands dieux, non ! Le vieux Monsieur Min s'y connaît en médecine, et il a tout de suite vu qu'elle avait eu une crise cardiaque, alors qu'elle faisait un petit somme avant le dîner. J'ai annoncé la nouvelle au maître et à son épouse — tâche des moins réjouissantes, croyez-moi ! Le vieillard a eu une nouvelle attaque et son épouse toutes les peines du monde à lui faire reprendre ses esprits. Enfin, entre-temps, Monsieur Min avait fait placer le corps dans un cercueil provisoire, dans la chapelle domestique. Voilà comment les choses se sont passées.

— Je vois, répondit le juge. Lorsque je suis allé voir le propriétaire, son épouse a fait une réflexion au sujet d'une servante, une certaine Aster. Elle a laissé entendre que celle-ci savait où était caché l'or et qu'elle était partie avec. Je n'ai pas très bien compris de quoi il retournait.

— Eh bien, cela semble en effet l'explication la plus vraisemblable de la disparition de l'or, Noble Juge. Il se trouvait dans le coffre-fort de la chambre du maître ; quarante lingots d'or, représentant deux cents pièces d'or. La clé était cachée derrière un panneau secret, dans le cadre du lit du maître. Seuls son épouse et lui-même en connaissaient la cachette. Or Aster est une jeune fille sans éducation, mais des plus mignonnes, et maligne comme ces filles de la campagne savent l'être. Elle a fait du charme au vieux et s'est laissé cajoler à l'occasion, dans l'espoir, à mon avis, d'être prise comme concubine un jour ou l'autre.

Yen fit une grimace puis reprit :

— Toujours est-il qu'il lui a montré la cachette de la clé ou lui a révélé l'endroit à un moment où la fièvre le faisait délirer. Quand les bandits sont arrivés, Aster, se disant qu'un tiens vaut mieux que deux tu l'auras, a pris l'or et la poudre d'escampette. Elle a enterré son trésor au pied d'un arbre ou d'un rocher, puis est allée voir les bandits. Ces chiens n'allaient pas renvoyer dans ses foyers un aussi beau brin de fille ! Ensuite, elle pourrait s'enfuir, reprendre l'or et épouser un gros boutiquier de la province voisine. Ce qui n'est pas un si mauvais calcul, quand on y pense ! Bon, je devrais peut-être rentrer à présent. Vous voyez ce gong de bronze suspendu aux poutres ? Si jamais ces ordures arrivaient jusqu'ici, vous pourriez toujours donner l'alarme en le faisant sonner. Je serai de retour à l'heure ! Non, merci, gardez la lanterne, je connais le chemin.

Le juge Ti retourna s'asseoir sur le banc, les bras

croisés sur la balustrade, face à la montagne plongée dans les ténèbres. Il savait parfaitement ce qu'étaient en train de préparer les bandits, car il avait distingué les madriers autour desquels les silhouettes sombres s'agitaient, devant le feu. Il n'avait rien dit à Yen Yuan pour ne pas l'affoler — quoique ce lascar semblait le moins inquiet de tous les prisonniers de cette demeure. En fait, les bandits étaient en train de construire un bélier. Mais il ne pensait pas qu'ils donneraient l'assaut avant l'aube, à moins naturellement que le ciel ne se dégage et que la lune ne se lève. Il n'y avait rien d'autre à faire qu'à attendre.

Les déclarations du régisseur sur la mort de Ki-you concordaient avec ce que lui en avait dit le vieux domestique de Monsieur Min. Pourtant, il avait le sentiment désagréable qu'il y avait autre chose là-dessous. Le vieux propriétaire avait dû ressentir lui aussi la même impression ; c'était la seule explication au désir du malade de le laisser passer une nuit dans la chambre de sa fille. Le vieil homme comptait visiblement sur sa perspicacité légendaire pour qu'il y découvre des indices permettant d'éclairer d'un nouveau jour la mort de son enfant.

Il était curieux que le vieux maître ait fait allusion aux prédictions de l'almanach. Ce dernier était établi tous les ans par le Conseil des Rites, et tout ce qui concernait le sens caché des signes apparaissant dans le ciel au cours de l'année était rédigé après examen minutieux du *Livre des Divinations*. Ces indications ne devaient pas être prises à la légère, car elles incarnaient la sagesse des Anciens. Le juge, quant à lui, était né sous le signe du Tigre. Etait-ce l'influence surnaturelle de cet animal du zodiaque qui l'avait conduit ce soir jusqu'à cette ferme isolée ?

Secouant la tête, il décida qu'il valait mieux laisser

de côté pour le moment ces considérations occultes pour se concentrer sur des éléments dépendant directement de la volonté des hommes. Ce que le vieillard avait dit des présages de mort violente pouvait se rapporter à l'attaque imminente des Tigres volants comme à la mort soudaine de sa fille. Quel dommage qu'aucun médecin compétent n'ait été présent ! Certes, Monsieur Min possédait certains rudiments de médecine ; comme la plupart des chefs de famille, cela faisait partie de leur culture générale. Mais il n'avait certainement pas la compétence d'un médecin professionnel et encore moins celle d'un contrôleur des décès. Le juge quant à lui possédait de sérieuses connaissances en matière de médecine légale et il aurait aimé pouvoir procéder lui-même à l'autopsie de la jeune fille. Mais cela était absolument hors de propos.

Puis il se prit à penser à son escorte, restée de l'autre côté de la brèche. Il espérait qu'il avait été possible de tenir la tête de pont et que les soldats avaient pu y passer la nuit, dans les baraquements. Il était un peu inquiet pour les deux Censeurs venus de la capitale pour lui remettre à Pei-tcheou le décret impérial concernant sa promotion. Ils avaient en effet pris la route à la suite de son escorte. Nés et élevés à la capitale, ils étaient habitués à voyager dans les meilleures conditions. Ces considérations le firent penser à ses femmes et à ses enfants. Heureusement, ils se trouvaient dans son village natal, lorsqu'arriva à Pei-tcheou la nouvelle de sa mutation. Le jour de son départ, il avait ordonné à son assistant, Tao Gan, de rester pour accueillir son successeur ; et il avait envoyé ses fidèles lieutenants, Ma Jong et Tsiao Taï, à Taï yuan prévenir sa Première Épouse et l'escorter, ainsi que ses deux autres épouses et ses enfants, jusqu'à la capitale. La route était sûre, point n'était besoin de s'inquiéter de leur sort.

Le temps passa étonnamment vite. La tête du régisseur apparut en haut de l'échelle beaucoup plus tôt que prévu.

— Rien de nouveau ? demanda-t-il avec empressement en arrivant sur la plate-forme.

— Rien du tout, repartit le juge. Mais on dirait que le ciel se dégage. Si c'était le cas, vous feriez bien de surveiller attentivement ces vauriens, là-bas.

Il prit la lanterne et descendit.

Alors qu'il s'apprêtait à pénétrer dans le bâtiment principal, il rencontra l'intendant Liao qui venait des écuries.

— Il m'avait semblé entendre hennir les chevaux, je suis allé voir s'il ne pleuvait pas dans les écuries. Quand pensez-vous que les bandits passeront à l'attaque, Excellence ? Cette attente insupportable...

— Sûrement pas avant l'aube. Ne fait-il pas très froid là-bas dans ces dépendances ? Comment se portent les femmes et les enfants ?

— Très bien, Excellence. Les murs sont épais, et nous avons recouvert le sol d'une épaisse couche de paille.

Le juge hocha la tête et entra dans la salle. Le feu était complètement éteint ; il faisait un froid glacial dans la pièce où régnait un silence de mort. S'aidant de la lanterne, il retrouva son chemin jusqu'au premier étage sans difficulté ; puis il monta au deuxième, en évitant soigneusement de faire craquer les marches.

En entrant dans la chambre, il fut surpris de la trouver baignée d'une diffuse lueur argentée. Celle-ci venait des panneaux de papier des portes coulissantes. Il traversa la pièce et les ouvrit en grand. La lune s'était levée, éclairant la montagne d'une lumière blanche presque surnaturelle.

Il sortit sur le balcon. Le plancher et la balustrade de bois plein étaient encore mouillés. A l'extrême gauche se trouvait un porte-pots de fleurs en bambou. Il restait encore quelques pots vides sur les trois étagères, installées l'une au-dessus de l'autre, comme celles d'une bibliothèque.

Il vit alors que les bandits construisaient bel et bien un bélier, mais il était peu probable qu'ils eussent terminé leur ouvrage avant l'aube, car il leur faudrait également fabriquer un chariot pour le transporter jusqu'à la loge de garde. Se penchant sur la balustrade, il aperçut, à quelque vingt pieds au-dessous, les toits des bâtiments, à l'arrière de la propriété. Il leva les yeux : les larges poutres du toit descendaient jusqu'au balcon. Sous le linteau des portes coulissantes se trouvait une rangée de panneaux de bois de trois pieds carrés, tous décorés de motifs finement sculptés, représentant des dragons évoluant parmi les nuages. Il se dit que le soin apporté à tous ces détails était la preuve que cette demeure avait au bas mot deux siècles. Les architectes modernes consacraient beaucoup moins d'attention à ce genre de détails.

Le fond de l'air était d'un froid supportable : on aurait dit que le gel s'était éloigné pour un bon moment. Il décida de laisser les portes entrouvertes. Cela lui permettrait également de mieux entendre le gong, au cas où l'on sonnerait l'alarme. Il allait se mettre au lit, lorsqu'il se ravisa en apercevant la table à musique, au fond de la pièce. Il n'avait pas vraiment sommeil : jouer du luth l'aiderait à passer le temps. En outre, tous les anciens traités de luth recommandaient le clair de lune comme le moment idéal pour jouer de cet instrument. Il avait joué de ce luth à sept cordes dans sa jeunesse, car c'était là l'instrument préféré de l'immortel Confucius, et son étude faisait partie de l'éducation de tout lettré. Mais il y avait des années qu'il n'avait pas touché les cordes d'un luth. Il était curieux de savoir s'il parviendrait à se rappeler le complexe doigté.

Il retourna la table à musique derrière laquelle il plaça le siège de manière à être assis dos au mur. Tout en frictionnant et pliant ses doigts gelés, il examina l'instrument avec intérêt. La laque rouge de la caisse plate et oblongue s'était écaillée en maint endroit, preuve que cet instrument d'au moins un siècle était une précieuse pièce de collection. Le juge pinça les cordes de soie les unes après les autres. Le luth avait un ton étonnamment grave ; ses notes résonnèrent dans le silence de la chambre. Il était à peu près correctement accordé, ce qui prouvait que la jeune fille avait dû en jouer peu avant sa mort. Tout en tournant les chevilles d'agate de la main droite, il essaya de se rappeler le début d'un de ses morceaux préférés. Mais à peine eut-il commencé à jouer qu'il s'aperçut aussitôt que s'il se souvenait parfaitement des notes, il en avait en revanche oublié tous les doigtés. Il ouvrit le tiroir de la table où les luthistes rangent en général leurs partitions. Feuilletant les minces recueils, il n'y découvrit que des compositions classiques d'une grande difficulté. On retrouvait plusieurs fois le fameux morceau « *Trois variations sur le motif de la Fleur de prunier* » — ce qui ne s'expliquait que par la prédilection de la jeune fille pour ces fleurs. Au fond du tiroir, il découvrit la partition d'une courte pièce, assez facile, intitulée : « *Automne au cœur* ». Le juge ne la connaissait pas, non plus que les paroles, écrites à côté des notes

Il pinça les cordes de soie les unes après les autres.

d'une petite écriture claire. Quelques mots avaient été rayés et la partition corrigée par endroits. Visiblement, il s'agissait d'une des compositions de la jeune morte.

La chanson comportait deux parties :

> *Les feuilles jaunissantes*
> *Tombent en tourbillons*
> *Tissant une robe*
> *A la dernière rose de l'automne.*
> *L'automne silencieux*
> *Pèse sur mon cœur*
> *Mon cœur avide*
> *Qui ne trouve nul repos.*

> *Les feuilles jaunissantes*
> *Tourbillonnent dans la brise*
> *Faisant fuir les dernières oies de l'automne.*
> *Que ne m'emmènent-elles*
> *Dans leur pays lointain,*
> *Chez elles, sur leurs ailes,*
> *Là où mon cœur trouvera le repos.*

Le juge joua une fois la mélodie d'un bout à l'autre, très lentement, les yeux rivés sur les notes. Le rythme la rendait plus facile à apprendre. Après avoir rejoué plusieurs fois de suite les mesures les plus ardues, il sut le morceau par cœur. Remontant d'un mouvement brusque les poignets de son manteau de fourrure, il se concentra pour le jouer sérieusement, la tête levée vers le paysage montagnard baignant sous la lune.

Tout à coup, il s'interrompit. Du coin de l'œil, il venait d'apercevoir une mince jeune fille, debout près du secrétaire. Sa silhouette grise était dans l'ombre, mais les épaules tombantes, le profil au nez busqué et les cheveux tirés en arrière se déta-

chaient distinctement sur le panneau de la porte
éclairé par la lune.

Pendant cette fraction de seconde, la silhouette
grise était restée là, immobile, avant de se fondre
dans les ténèbres.

Le juge Ti n'avait pas bougé, les mains posées à
plat sur les cordes de soie. Il voulut crier, mais aucun
son ne sortit de sa gorge nouée. Puis il se leva,
contourna la table à musique, et fit quelques pas
prudents en direction du coin gauche de la chambre
où l'apparition s'était évanouie. Il fixa d'un air
hébété le secrétaire. Il n'y avait personne.

Le magistrat se passa la main sur le visage. Ce
devait être le fantôme de la jeune morte.

Il dut faire un effort considérable pour recouvrer
ses esprits. Ouvrant en grand les portes coulissantes,
il sortit sur l'étroit balcon et respira profondément
une bouffée d'air froid. Il avait déjà eu l'occasion au
cours de sa carrière de se trouver confronté à des
phénomènes surnaturels, mais en dernière analyse,
tous se révélèrent avoir une explication parfaitement
matérielle. Cependant, comment pourrait-il y avoir
une explication rationnelle à l'apparition de la jeune
morte dont il venait d'être à l'instant le témoin ?
Pourrait-il s'agir d'un tour de son imagination, tout
comme il avait eu l'impression d'entendre la jeune
fille lui parler alors qu'il venait de s'allonger sur le
lit ? A ce moment, il somnolait, tandis qu'à présent il
était parfaitement éveillé.

Secouant la tête d'un air perplexe, il rentra dans la
chambre et referma les portes coulissantes derrière
lui. Il sortit de sa manche sa boîte à amadou et alluma
la petite lampe-tempête. Il était arrivé à une conclusion ; l'apparition de la jeune fille ne pouvait avoir
qu'une seule signification : victime d'une mort

violente, son âme en peine errait, cherchant désespérément à se manifester, à franchir la barrière séparant les morts des vivants. Alors qu'il était en train de s'endormir, la jeune fille avait réussi à lui faire entendre sa voix. Et à l'instant, au moment où il se concentrait sur le morceau qu'elle avait elle-même composé, le contact s'était établi brusquement, lui permettant de projeter son apparence physique, une fraction de seconde, dans le monde des vivants. Il n'y avait qu'une seule chose à faire. Le juge prit la lanterne et descendit l'escalier.

Il s'arrêta sur le palier de l'étage inférieur. Un rai de lumière filtrait de sous la porte de la chambre du malade. Marchant sur la pointe des pieds il alla coller son oreille au panneau. On entendait le sourd murmure d'une conversation, mais sans pouvoir en distinguer les mots. Au bout d'un moment, le murmure cessa. Puis quelqu'un se mit à entonner tout bas un chant, ressemblant à une incantation magique ou à une prière.

Il descendit dans le grand vestibule. Debout, au pied de l'escalier, il leva sa lanterne pour s'orienter. En dehors de la porte d'entrée, il se souvenait n'avoir vu dans la salle qu'une seule autre porte, derrière sa chaise, pendant le dîner. Cela semblait concorder avec la réflexion de Monsieur Min, précisant que la chapelle se trouvait au fond du vestibule.

Il traversa la grande salle et ébranla la porte. Elle n'était pas fermée. Comme il l'ouvrait, l'entêtant parfum d'encens indien lui confirma la justesse de sa supposition. Après avoir refermé sans bruit la porte derrière lui, il leva la lanterne. Contre le mur du fond de la petite pièce avait été dressée une table d'autel en bois laqué de rouge sur laquelle était posé un reliquaire renfermant une statue dorée de Kouan

Yin, la déesse de la Miséricorde. Devant la statue, quatre bâtonnets d'encens aux extrémités rougeoyantes se consumaient dans un brûle-parfum d'argent.

Le juge contempla fixement les bâtonnets. Puis il en sortit un du paquet posé à côté du brûle-parfum et en compara la longueur à celle de ceux qui se consumaient encore dans le récipient. Ces derniers ne faisaient qu'un quart de pouce de moins, ce qui signifiait que la personne qui les avait allumés avait dû se trouver dans la chapelle très peu de temps auparavant.

Le juge contempla pensivement la boîte oblongue de bois blanc déposée sur deux tréteaux ; c'était le cercueil provisoire dans lequel reposait la jeune défunte. Le mur opposé était recouvert du sol au plafond par une splendide tenture de brocart ancienne, représentant en broderie l'ascension du Bouddha au Nirvâna. Le Bouddha mourant reposait sur une couche, entouré des représentants des trois mondes pleurant son départ.

Le juge posa la lanterne sur l'autel. La porte de la chapelle n'étant pas fermée à clé, il se dit que n'importe qui pouvait y pénétrer. Tout à coup, il eut l'impression de ne pas être seul, bien qu'il fût impossible à quiconque de se cacher dans la petite chapelle ; à moins qu'il n'existât un espace assez large entre la tenture et le mur. Il se dirigea aussitôt dans cette direction et appuya sur le somptueux tissu. Il était appliqué directement contre le mur. Le magistrat haussa les épaules. Il était inutile de se demander plus longtemps qui avait pu se rendre dans la chapelle avant lui. Mais il ferait mieux de se dépêcher, car le visiteur inconnu pouvait fort bien revenir.

Il contourna le coussin de prière posé sur le sol, au centre de la pièce et inspecta le cercueil à la lueur de la lanterne. Il faisait six pieds de long et deux de haut seulement ; il pourrait donc peut-être examiner le cadavre sans avoir à le sortir du cercueil. Il remarqua avec satisfaction que le couvercle n'avait pas été cloué et était simplement maintenu en place par une bande de papier huilé, collée sur le pourtour. Mais il avait l'air plutôt lourd ; il allait avoir du mal à le soulever tout seul.

Le juge ôta son manteau de fourrure et le posa par terre. Il n'en avait pas besoin, car l'atmosphère était confinée et il faisait très doux dans la chapelle. Puis il se pencha sur le cercueil. Au moment précis où il essayait de soulever le bord du papier de son ongle de pouce, il entendit pousser un soupir.

Figé sur place, il tendit l'oreille, mais ne perçut plus que les battements de son propre cœur. Ce devait être la tenture murale, car il remarqua qu'il y avait un léger courant d'air. Il entreprit de détacher la bande de papier, quand soudain une ombre se projeta sur le couvercle du cercueil.

— Laissez-la en paix ! fit une voix rauque derrière lui.

Le juge se retourna. L'intendant le regardait d'un air farouche.

— Il faut que j'examine le corps de Mademoiselle Ki-you, répondit le juge d'un ton bourru. Je crois qu'il y a eu crime. Vous n'êtes au courant de rien, naturellement ? Que faites-vous ici ?

— Je... Je n'arrivais pas à dormir. Je suis allé dans la cour parce que j'ai cru...

— Entendre les chevaux hennir. Je sais, vous me l'avez déjà dit quand je vous ai croisé tout à l'heure. Répondez à ma question !

— Je suis venu brûler de l'encens, Excellence, pour le repos de l'âme de Mademoiselle Ki-you.

— Louable fidélité envers la fille de votre maître.

Le juge eut soudain l'impression qu'il n'était pas seul.

Si vous dites la vérité, pourquoi vous êtes-vous caché à mon arrivée ? Et où ?

L'intendant souleva la tenture murale et d'une main tremblante montra une niche dans le mur, dans le coin le plus reculé.

— Il y avait... il y avait là une porte autrefois, balbutia-t-il. Elle a été murée.

Se retournant vers le cercueil, il poursuivit avec lenteur :

— Oui, vous avez raison. Il était inutile de cacher désormais quoi que ce soit. J'étais très amoureux d'elle, Excellence.

— Et elle de vous ?

— Je ne lui ai jamais ouvert mon cœur, Excellence ! s'exclama l'intendant atterré. Il est vrai que ma famille était réputée, il y a un demi-siècle. Mais elle a décliné, et je ne possède pas la moindre sapèque en propre. Comment aurais-je pu avoir le front de déclarer au propriétaire que je... Par ailleurs, elle était promise au fils de...

— Très bien. A présent, dites-moi, ne trouvez-vous rien d'étrange à sa mort soudaine ?

— Non, Excellence. Pourquoi y aurait-il quelque chose d'étrange ? Tout le monde savait qu'elle avait le cœur fragile et l'émotion...

— Parfait. L'avez-vous vue morte ?

— Je n'aurais pu le supporter, Noble Juge ! Jamais ! Je voulais m'en souvenir telle qu'elle était, toujours si... si... Monsieur Min m'a demandé de l'aider, ainsi que le vieux domestique, à la mettre dans ce... ce cercueil, mais je n'ai pas pu, j'étais trop bouleversé. D'abord les bandits, ensuite cette... cette soudaine...

— Bon, vous allez quand même m'aider à déplacer ce couvercle !

Le juge souleva l'extrémité de la bande de papier et la déchira en quelques coups secs.

— Soulevez l'autre côté ! ordonna-t-il. Nous le poserons par terre.

Les deux hommes étaient en train de déplacer le couvercle quand l'intendant lâcha brusquement le côté qu'il tenait. Le couvercle retomba en travers du cercueil, arrêté à temps dans sa chute par le juge.

— Ce n'est pas Ki-you ! s'écria l'intendant. C'est Aster !

— Taisez-vous ! ordonna le juge.

Le magistrat contempla le visage marmoréen de la jeune fille. Elle n'était pas dénuée d'une certaine beauté, quelque peu vulgaire cependant jusque dans la mort. D'épais sourcils formaient un joli arc au-dessus des paupières bleuâtres de ses yeux clos, les joues étaient creusées de fossettes, la bouche charnue était bien dessinée. Elle ne ressemblait en aucune façon au portrait de Ki-you.

— Posons le couvercle par terre sans faire trop de bruit, dit calmement le juge à l'intendant tremblant.

Cela fait, le juge prit la lanterne et la déposa sur un coin du cercueil. Il contempla pensivement la longue robe blanche. Elle était en très belle soie, rehaussée d'un motif de fleur de prunier tissé. La ceinture avait été nouée juste au-dessous de sa poitrine généreuse, avec un gros nœud traditionnel à trois boucles. Les bras étaient étendus le long du corps.

— C'est pourtant bien la robe de Mademoiselle Ki-you, remarqua le juge.

— Oui, en effet, Noble Juge. Mais c'est Aster, je vous assure ! Qu'est-il arrivé à Mademoiselle Ki-you ?

— Nous n'allons pas tarder à le savoir. Tout d'abord, il faut que j'examine ce cadavre. Allez m'attendre dans le vestibule et n'allumez pas la chandelle. Personne ne doit être mis au courant pour l'instant.

Comme l'intendant terrorisé protestait en claquant des dents, le juge le poussa dehors sans ménagement et referma la porte.

Le magistrat commença par défaire le nœud compliqué de la ceinture, ce qui lui prit un certain temps. Puis, glissant les bras sous la taille de la morte, il souleva un peu le corps pour enlever la ceinture enroulée plusieurs fois. Il était assez lourd, ce qui concordait avec les plaintes du vieux domestique, quant au poids du cadavre qu'il avait descendu avec Monsieur Min. Le juge posa la ceinture sur le rebord du cercueil et ouvrit le devant de la robe. Elle ne portait aucun linge de dessous et son corps bien bâti apparut dans toute sa nudité. Approchant la lanterne, il l'examina pouce par pouce, cherchant des traces de violence. Mais la peau lisse et blanche était intacte, hormis quelques légères égratignures sur les seins et le ventre rond. Après s'être assuré que la jeune fille était bien enceinte de quatre mois environ, il dégagea les bras raides des larges manches. Elle avait les ongles courts et cassés, et les paumes des mains calleuses. Puis il tourna le corps sur le côté et réprima un petit cri. Juste sous l'omoplate gauche, il découvrit un petit pansement, de la taille d'une sapèque. Il l'enleva délicatement. Une petite blessure apparut à ses yeux. Le juge l'examina longuement, palpant la chair alentour, puis sondant la plaie avec un cure-dent. Elle avait été assassinée, avec un couteau long et fin dont la pointe avait pénétré jusqu'au cœur.

Après avoir remis le cadavre sur le dos, il referma le devant de la robe et essaya en vain de refaire la triple boucle du nœud. Il se contenta donc de nouer simplement la ceinture. Les bras croisés dans ses longues manches, les sourcils froncés, il contempla encore un moment la silhouette blanche. Tout cela était assurément très troublant.

Le juge rouvrit la porte et appela l'intendant. Liao tremblait de tout son corps et était d'une pâleur impressionnante. Ils replacèrent ensemble le couvercle du cercueil.

— Où se trouve votre chambre ? demanda le juge en renfilant son manteau de fourrure.

— Sur l'arrière de la demeure, Noble Juge. Juste à côté de celle de Monsieur Yen Yuan.

— Parfait. Allez vous coucher. Je vais partir à la recherche de Mademoiselle Ki-you.

Prévenant toute question, le juge se détourna vivement et sortit de la chapelle. A l'entrée du vestibule, il prit congé de l'intendant par quelques paroles de réconfort et monta le grand escalier.

Il y avait de la lumière sur le palier du premier étage. Monsieur Min était devant la porte de la chambre du malade, un grand chandelier à la main. Son large visage aux lourdes bajoues était toujours aussi hautain, et il n'avait pas quitté sa longue robe grise. Accueillant le juge d'un air lugubre, il demanda avec brusquerie :

— Vous avez pris votre tour de garde ?

— Oui. Rien de nouveau. Comment va votre frère, Monsieur Min ?

— Hum... J'allais justement le voir. Mais comme il n'y a pas de lumière, je ferais mieux de retourner me coucher. Autant ne pas réveiller son épouse, elle dort dans le fauteuil à côté du lit. Elle est épuisée. Vous devriez également aller dormir. Cela ne sert vraiment à rien de traîner. Bonne nuit !

154

Le juge suivit des yeux le corpulent personnage jusqu'à la porte de sa chambre, au bout du palier, puis il monta à son étage.

De retour dans la chambre de Ki-you, il posa la lanterne sur la table et resta un long moment à contempler les panneaux des portes coulissantes, baignées par la lumière de la lune. Si Ki-you était vivante, il avait très bien pu apercevoir son ombre projetée sur la porte et la prendre pour une apparition dans la chambre même. Si cela était le cas, elle avait dû l'observer depuis le balcon.

Le juge fit coulisser les portes et sortit. Son inspection des lieux lui avait permis de constater qu'il était impossible d'accéder au balcon d'en bas, ni de s'y laisser tomber du toit. D'ailleurs, il était sorti sur le balcon immédiatement après avoir vu l'apparition et personne n'aurait eu le temps de se servir d'une échelle. Il se retourna et leva les yeux vers les panneaux de bois sculptés surmontant le linteau des portes coulissantes. Rentrant en hâte dans la chambre, il découvrit que le plafond n'était qu'à un ou deux pouces du linteau. Cela signifiait qu'entre le plafond et le toit, il y avait une soupente, de trois pieds de haut sous les poutres, mais qui allait s'agrandissant vers le faîte du toit. Ressortant sur le balcon, il regarda d'un air songeur le porte-pots de fleurs, sur la gauche. Et s'il y avait un moyen d'accéder à la soupente ? Rien de plus facile que de grimper sur le porte-pots de fleurs pour atteindre les panneaux.

Il posa prudemment le pied sur la première étagère. Elle était trop fragile pour supporter son poids, mais pouvait fort bien résister à celui d'une mince jeune fille. Il alla chercher à l'intérieur le siège d'ébène de la table à musique et le plaça juste à côté du porte-pots de fleurs. Les panneaux sculptés se trouvaient à présent à sa portée. Tendant la main vers celui qui surplombait le porte-pots de fleurs, il s'aperçut qu'il pouvait le déplacer légèrement. Lorsqu'il exerça une poussée latérale plus forte, le panneau s'ouvrit. La lumière de sa lanterne tomba sur le visage pâle et effrayé d'une jeune fille tapie dans le noir.

— Vous feriez mieux de descendre, Mademoiselle Min, dit le juge d'un ton sec. N'ayez pas peur, j'ai été invité par votre père à passer la nuit ici. Allez, donnez-moi la main.

La jeune fille n'avait besoin d'aucune aide. Posant le pied sur l'étagère supérieure, elle descendit avec grâce. Tout en défroissant sa robe bleue couverte de poussière, elle jeta un rapide coup d'œil en direction de la montagne où brûlaient haut les feux des bandits. Puis elle entra en silence dans sa chambre.

Lui faisant signe de s'asseoir près de la table, le juge prit place en face d'elle, sur le siège d'ébène qu'il avait rentré. Tout en lissant sa longue barbe grisonnante, il dévisagea la jeune fille pâle et tendue. Elle n'avait pas beaucoup changé en trois ans. Il admira à nouveau le talent du peintre qui avait exécuté un portrait aussi fidèle et imaginé une pose aussi appropriée. La peindre en buste avait permis d'estomper la voussure de son dos et de dissimuler le fait que sa tête était légèrement trop grosse par rapport à son corps petit et menu.

— On m'a dit que vous étiez morte d'une crise cardiaque, Mademoiselle Min, dit enfin le juge. Vos vieux parents vous pleurent. En réalité, c'est la servante Aster qui est morte ici, dans cette chambre. Elle a été assassinée.

156

Le magistrat se tut un instant. Comme la jeune fille restait silencieuse, il reprit :

— Je suis magistrat dans une province du Nord de l'Empire. Cette demeure échappe évidemment à ma juridiction, mais puisqu'elle est aujourd'hui complètement coupée du reste du monde, j'y représente la loi. C'est pourquoi il est de mon devoir de découvrir le meurtrier. Je vous prie de m'expliquer ce qui s'est passé.

La jeune fille leva la main. Un sombre éclat brillait dans ses grands yeux.

— Est-ce bien nécessaire ? demanda-t-elle d'une voix douce et posée. Nous allons tous être assassinés, d'ici peu. Regardez, le ciel se teinte déjà de rose.

— La vérité est toujours importante, Mademoiselle Min. J'attends vos explications.

La jeune fille haussa ses épaules étroites.

— Hier soir, avant dîner, je suis montée ici. Je me suis lavée, maquillée, en attendant qu'Aster vienne m'aider à me changer. Ne la voyant toujours pas, je suis sortie sur le balcon. Accoudée à la balustrade, j'observai la montagne, cherchant à apercevoir ces monstres de brigands et me demandant avec angoisse ce qu'il allait advenir de nous. Enfin, après être restée ainsi un très long moment, je m'aperçus qu'il se faisait tard et je décidai de me changer seule. En rentrant dans la chambre, je découvris Aster, allongée sur mon lit, sur le côté droit, le dos vers moi. Je m'approchai, m'apprêtant à la réprimander, quand je vis avec horreur que la robe était tachée de sang dans le dos. Je me penchai sur elle. Elle était morte.

« Je poussai un cri, mais je mis aussitôt la main sur ma bouche. En un éclair, je compris ce qui avait dû se passer. Ne me trouvant pas dans la chambre, Aster avait pensé que j'étais encore en bas. Elle s'est donc

157

allongée sur mon lit, avec l'intention de se lever dès qu'elle m'entendrait arriver. C'était bien le genre de cette petite impertinente, de cette fainéante, je vous assure. Puis quelqu'un est entré et l'a tuée, la prenant pour moi. Au moment même où cette idée monstrueuse s'imposait à mon esprit, j'entendis des pas traînants sur le palier. Ce devait être le meurtrier qui revenait ! Prise de panique, je me suis précipitée sur le balcon et cachée dans la soupente. »

La jeune fille s'interrompit et lissa pensivement ses cheveux de sa main fine et blanche.

— Il faut que vous sachiez que j'ai exploré cette soupente dès que j'ai appris la présence des bandits. Je voulais m'assurer qu'elle pourrait me servir de cachette, ainsi qu'à mes vieux parents, s'ils attaquaient la ferme. C'était l'endroit rêvé ; j'y ai donc entreposé des couvertures, une jarre d'eau et quelques boîtes de fruits secs. En tout cas, j'avais quitté la chambre à temps, car j'entendis alors la porte s'ouvrir et de nouveau ces horribles pas traînants. J'attendis longtemps, l'oreille aux aguets, mais je n'entendis plus rien. Puis on frappa très fort à la porte et quelqu'un m'appela. Je crus qu'il s'agissait d'une ruse de l'assassin, ayant découvert sa méprise : donc je ne bougeai toujours pas. Il y eut de nouveau des coups à la porte. J'entendis mon oncle affolé crier que j'étais morte. Il avait pris Aster pour moi, ne m'ayant pas encore vue depuis son arrivée à la maison, et notre dernière rencontre remontant à sept ans. De même qu'il n'avait pas vu Aster, qui avait passé l'après-midi dans les appartements des femmes. Encore qu'il fût curieux que mon oncle ait pu se tromper ainsi, car Aster portait sa robe bleue de servante. J'en conclus que le meurtrier était revenu pour déshabiller Aster et lui passer une de mes robes.

Je voulus sortir et tout dire à mon oncle, mais je pensai qu'il valait beaucoup mieux laisser croire au meurtrier que j'avais disparu, ce qui me laisserait du temps pour tenter de découvrir son identité.

« Epuisée par toutes ces émotions et par la peur, je dormis comme une masse toute la nuit. Ce matin, je suis descendue chercher de l'eau fraîche et une boîte de gâteaux. Je me suis glissée sans bruit jusqu'au palier du premier étage où j'ai surpris le régisseur et l'intendant qui parlaient de ma mort, due à une crise cardiaque. Ceci montrait que l'assassin avait réussi d'une manière ou d'une autre à maquiller son odieux forfait, et ne laissa pas de m'inquiéter davantage. Car il devait assurément s'agir d'un homme extrêmement habile et impitoyable. Je dormis tout l'après-midi. Vers le soir, j'entendis des voix dans ma chambre, dont celle du régisseur. Puis tout redevint silencieux jusqu'au moment où quelqu'un joua sur mon luth mon air préféré. Comme personne ici ne sait en jouer à part moi, je me suis dit que ce devait être un étranger, le meurtrier ou un complice. La pluie ayant cessé, cela me parut une excellente occasion pour essayer de découvrir qui était mon mystérieux ennemi. Je suis descendue sans bruit de ma cachette et j'ai jeté un coup d'œil discret par la porte coulissante. Dans l'ombre, au fond de la chambre, je vis un homme barbu, de grande taille, que je ne connaissais pas. Terrorisée, j'ai regagné ma cachette en un instant. Voilà, Noble Seigneur, je vous ai tout dit. »

Le juge Ti hocha lentement la tête. C'était une fille intelligente, capable de raisonner avec logique. Approchant la théière, il lui servit une tasse de thé et attendit qu'elle ait fini de la boire, ce qu'elle fit avec avidité.

— A votre avis, demanda-t-il ensuite, qui pouvait vouloir vous tuer, Mademoiselle Min ?

— Mais je n'en ai pas la moindre idée, Noble Seigneur ! Et c'est bien ce qui m'inquiète le plus, ce doute affreux. Je ne connais pratiquement personne en dehors d'ici, car, voyez-vous, nous recevons très peu de visites. Jusqu'à l'année dernière, un professeur de musique venait régulièrement du village, près du fort, pour me donner des leçons ; et mes professeurs de peinture et de calligraphie ont séjourné un moment ici. Puis, lorsque j'eus terminé mes études, et que mon mariage prochain eut été annoncé, je menai une vie très retirée, sans voir personne d'autre que les occupants de cette maison.

— Dans ce genre d'affaires, remarqua le juge, nous commençons toujours par rechercher le mobile du crime. Ai-je raison de penser que vous êtes l'unique héritière de ce domaine ?

— Oui, c'est exact. J'avais un frère plus âgé, mais il est mort il y a trois ans.

— Qui doit hériter après vous ?

— Mon oncle, Noble Seigneur.

— Ce pourrait constituer un sérieux mobile. J'ai cru comprendre que, bien que riche, votre oncle a une véritable passion pour l'argent.

— Oh non, pas mon oncle ! s'écria-t-elle. Il a toujours été très proche de mon père, il n'aurait jamais... Non, vous devez écarter cette hypothèse immédiatement, Noble Seigneur.

Ki-you réfléchit un instant, puis reprit avec quelque hésitation :

— Il y a bien Monsieur Liao, notre intendant. Je sais qu'il était amoureux de moi. Il ne me l'a jamais avoué, naturellement, mais je m'en suis aperçue. Il est vrai que normalement un individu dans sa position, c'est-à-dire employé par mon père, dépourvu de bien, ne devrait pas même rêver épouser la fille unique de son maître. Mais Liao venait d'une vieille famille d'écrivains, d'où sont issus deux grands poètes, et il y avait une faible chance que mon père, avec mon consentement, prît en considération une éventuelle demande en mariage. Cependant, Liao a gardé le silence, et lorsque mes fiançailles avec Monsieur Liang ont été annoncées, il était trop tard, évidemment. La nouvelle l'a réellement bouleversé, je ne pouvais l'ignorer. Mais il est impensable qu'un jeune homme aussi modeste et raffiné que Monsieur Liao soit capable de...

La jeune fille interrogea le Juge du regard, mais ce dernier se garda de tout commentaire. Il but une gorgée de thé puis déclara :

— Je ne crois pas qu'Aster ait été assassinée par erreur, Mademoiselle Min. Je suis convaincu qu'elle était bel et bien la victime choisie par son meurtrier. Je viens d'examiner son cadavre ; elle était enceinte. Avez-vous une idée de qui aurait pu être le père de cet enfant ?

— Le premier venu ! s'exclama Ki-you avec animosité. C'était une paresseuse, une dévergondée qui passait son temps à coucher avec les jeunes commis de ferme dans l'arrière-cour. Elle s'imaginait que personne n'était au courant, mais je l'ai vue de mes propres yeux, de mon balcon. C'était dégoûtant ! Une véritable prostituée ! Et c'est elle qui a volé l'or. On a cru qu'elle était partie avec. Mais dès que j'ai su qu'elle avait été tuée, je me suis dit que l'or devait être encore ici, caché dans la maison. Oui, bien sûr, vous avez raison, Noble Seigneur ! Elle n'a pas été tuée par erreur ! C'est son amant qui l'a

161

assassinée, pour récupérer tout l'or. Nous devons absolument le retrouver, il y va de notre vie !

Le juge Ti remplit de nouveau leurs deux tasses.

— J'ai entendu dire, remarqua-t-il d'un ton détaché, qu'Aster était une fille simple et solide qui s'occupait fort bien de votre père malade.

Ki-you rougit de rage.

— Elle ? S'occuper de lui ? Je vais vous dire ce qu'elle faisait, cette insolente petite garce ! Elle essayait de l'aguicher, voilà ce qu'elle faisait ! Ma mère a dû la chasser plus d'une fois de la chambre. Un jour, je l'ai moi-même surprise en train de lui arranger son couvre-pied, c'est du moins ce qu'elle a prétendu. Mais c'est sa robe qu'elle aurait dû arranger ! Elle était grande ouverte devant ; offrant à tous les regards sa grosse poitrine ! Voilà comment elle est parvenue à découvrir la cachette de la clé du coffre, l'hypocrite ! Et tout en faisant des avances à mon père, elle ne se gênait pas pour aller jouer à ses sales petits jeux dans les champs avec le premier vagabond venu ! Et en prime, il lui a fait un enfant ! Il faut que vous interrogiez ces malheureux réfugiés, Noble Seigneur : son amant s'est probablement mêlé à eux. Il l'a assassinée pour mettre la main sur l'or volé.

— Eh bien, commença lentement le juge. Je pense effectivement qu'elle a été tuée par le père de son enfant. Mais je ne pense pas qu'il s'agisse d'un vulgaire vagabond. Un vagabond n'aurait jamais pu monter jusqu'à votre chambre pour la tuer. L'assassin devait appartenir à la maison ; c'est quelqu'un qui avait la possibilité d'aller et venir à sa guise. Cet individu croyait être seul avec Aster lorsqu'il l'a mortellement frappée. Mais en redescendant, il s'est aperçu de votre absence et a compris alors que vous aviez dû vous trouver sur le balcon et donc sans doute être témoin du crime. Il décida alors de vous effrayer afin que vous gardiez le silence. C'est pourquoi il est remonté et a revêtu Aster d'une de vos robes ; pour que vous sachiez qu'il vous tuerait si jamais vous parliez. Il doit être extrêmement inquiet en ce moment. Qui connaît votre cachette de la soupente, Mademoiselle Min ?

— Absolument personne, Noble Seigneur. J'avais l'intention d'en parler à mon père ce soir après dîner.

— Parfait.

Le juge se leva et sortit sur le balcon. Dans la lueur grise de l'aube, il vit que le chariot qui devait transporter le bélier était prêt. Les Tigres volants étaient en train de faire sortir leurs chevaux des grottes.

— Il n'y a pas tellement de gens parmi lesquels choisir notre meurtrier, à vrai dire, reprit le juge en retournant s'asseoir. A mon avis, le régisseur, Yen Yuan, est notre principal suspect.

Coupant court aux protestations de Ki-you en levant la main, il poursuivit :

— Son peu d'intérêt pour le cadavre d'Aster est étrange. On dirait qu'il a délibérément évité de le voir, et non pour les motifs sentimentaux qui étaient ceux de l'intendant Liao. Yen ne voulait pas courir le risque de s'entendre demander pourquoi il n'avait pas dit que ce corps n'était pas le vôtre, au cas où les choses tourneraient mal. Car contrairement à Monsieur Min et à son vieux domestique, le régisseur, lui, vous connaissait parfaitement ainsi qu'Aster.

La jeune fille jeta au juge un regard horrifié.

— Monsieur Yen est un jeune homme sérieux et bien élevé ! s'exclama-t-elle. Comment aurait-il pu en arriver à s'avilir au point d'avoir une liaison avec cette vulgaire fille de la campagne ?

— Je suis mieux placé que vous, Mademoiselle Min, pour comprendre de telles aventures, répondit le juge avec douceur. Yen m'a fait l'effet d'être un libertin, qui n'a abandonné qu'à contrecœur les plaisirs de la ville. Je soupçonne son père de l'avoir envoyé ici à cause de quelque sombre histoire sentimentale exigeant un éloignement prolongé. Son père lui a donc pardonné cette première faute. Mais une seconde, à savoir séduire une servante sous le toit d'un parent, aurait fort bien pu l'amener à chasser son fils de chez lui.

— Impossible ! rétorqua la jeune fille avec colère. Yen avait été malade et on l'a envoyé ici pour lui faire changer d'air.

— Voyons, Mademoiselle Min ! Une jeune fille aussi intelligente que vous ne peut tout de même pas croire à une histoire aussi peu convaincante !

— Elle est tout à fait convaincante, insista-t-elle en se levant. Voudriez-vous me conduire auprès de mon père, Noble Seigneur ? J'ai hâte de tout lui raconter. Je désire également m'entretenir avec lui pour que nous essayons de retrouver l'or. Car c'est le seul espoir qui nous reste. Si nous échouons, les bandits nous tueront tous !

Le juge se leva à son tour.

— Je vous conduirai avec joie auprès de vos parents, Mademoiselle Min. Toutefois, auparavant, je voudrais que vous m'accompagniez jusqu'à la tour de guet. J'y interrogerai Monsieur Yen et je désire que vous soyez présente afin de pouvoir vérifier ses déclarations sur-le-champ. S'il se révèle innocent, nous tâcherons de découvrir l'or tout seuls.

Remarquant qu'elle s'apprêtait à protester, le juge tendit le doigt vers la montagne et s'exclama :

— Grands dieux ! Ils arrivent !

La jeune fille affolée à ses côtés, il regarda la douzaine de cavaliers qui dévalaient la pente au grand galop, suivis d'une étrange machine montée sur roues. D'autres bandits s'affairaient tout autour, surveillant la descente.

— Ils descendent le bélier ! dit le juge avec excitation.

Puis, attrapant la jeune fille par la manche, il ordonna :

— Vite ! Le temps presse !

— Et l'or ? s'écria-t-elle.

— Yen va nous dire où il se trouve. Venez !

Le juge tira derrière lui la jeune fille hésitante. Comme ils descendaient précipitamment l'escalier, le gong de la tour de guet retentit. Ils traversèrent d'un trait la cour où les réfugiés terrorisés sortaient de leurs baraquements. Tandis qu'il montait à l'échelle raide de la tour de guet, le juge aperçut du coin de l'œil deux solides jeunes gens qui grimpaient sur le toit de la loge de garde où le filet avait été disposé.

— Ils arrivent avec un bélier ! s'écria le régisseur en voyant apparaître le juge sur la plate-forme. Ils ont...

Il s'interrompit au milieu de sa phrase, découvrant bouche bée Ki-you qui montait derrière le juge.

— Vous..., vous... bégaya-t-il.

— Oui, je suis vivante, comme vous le voyez, s'empressa-t-elle de répondre. J'ai réussi à me cacher dans la soupente, et c'est là que le magistrat m'a découverte. N'ayant pas vu le cadavre, vous ne pouviez pas savoir que ce n'était pas moi, mais Aster.

Des cris confus retentirent en bas, de l'autre côté du mur d'enceinte. Quatre cavaliers allaient et venaient à cheval dans la lueur incertaine de l'aube, brandissant insolemment leurs lances tandis que leurs peaux de tigre claquaient dans la brise. Le juge contempla la vaste étendue d'eau boueuse du fleuve. Le niveau semblait être encore monté depuis l'orage, mais la brume s'était dissipée. Il crut distinguer une tache noire dans le lointain.

Se retournant vers le régisseur, il dit d'une voix cinglante :

— A présent, tout est clair comme de l'eau de roche, Monsieur Yen. Vous avez tous les deux tué Aster. Elle attendait un enfant de vous et vous pressait de l'épouser. Mais cette liaison avec une pauvre paysanne n'avait pas été pour vous qu'un simple passe-temps. Vous comptiez bien épouser Mademoiselle Ki-you, l'héritière. Cette dernière vous aimait passionnément, mais savait que son père ne consentirait jamais à ce mariage. Ki-you avait été solennellement fiancée à Monsieur Liang, et le vieux monsieur ne donnerait jamais sa fille à un propre à rien sans le sou, parent de surcroît. L'arrivée des Tigres volants vous a fourni une excellente issue. Ki-you vola l'or et le cacha en lieu sûr. Puis vous avez tous deux assassiné Aster. Vous lui avez mis une des robes de Ki-you ; mais vous n'avez pas eu le temps de lui mettre également du linge de dessous. Ki-you alla se cacher dans la soupente ; quant à vous, Monsieur Yen, vous deviez faire en sorte que seuls Min et son vieux domestique voient le cadavre et qu'il soit mis en bière le plus vite possible. Ainsi, tout le monde croirait sans peine à la mort de Ki-you. La petite plaie dans le dos d'Aster avait été soigneusement nettoyée et un pansement appliqué dessus. Si jamais Monsieur Min le découvrait, il croirait naturellement que le pansement avait été apposé du vivant de la jeune fille, que celle-ci s'était fait une égratignure quelconque. En fait, il ne l'a pas déshabillée ; il n'avait d'ailleurs aucune raison de le faire, comment aurait-il songé un seul instant qu'il s'agissait d'un meurtre ? Donc, ne l'ayant pas déshabillée, il n'a pas vu qu'elle ne portait pas de linge de dessous — détail qui aurait pu lui donner à réfléchir.

— Quelle histoire ! commenta Ki-you d'un ton dédaigneux. Et alors qu'aurions-nous été censés faire ensuite, selon votre fantastique théorie ?

— C'est simple. Au moment où les Tigres volants auraient donné l'assaut à la maison, Yen aurait pris la fuite dans la confusion générale et vous aurait rejointe dans la soupente. Une fois que les bandits auraient trucidé tout le monde, pillé la maison et disparu, vous seriez sortis de votre cachette et auriez attendu la décrue du fleuve. Vous saviez que les brigands ne mettraient pas le feu à la ferme, comme ils le font habituellement, de crainte que l'incendie n'attire l'attention des sentinelles du fort. Ensuite, vous seriez partis à la ville, avec l'or, bien entendu. Au bout d'un certain temps, Ki-you se serait présentée au tribunal, avec une histoire émouvante au possible : elle avait été enlevée par les Tigres volants qui lui avaient fait subir des tourments de toutes sortes jusqu'au jour où elle avait réussi à leur échapper. Elle ferait alors valoir ses droits légitimes sur le domaine. Vous seriez tous deux allés vous marier dans une autre ville, un peu plus loin, et seriez ensuite revenus ici jouir de votre bonheur. Sans doute auriez-vous sacrifié vos vieux parents et une cinquantaine d'autres personnes, mais je ne crois pas que cela vous aurait tellement tourmentés.

Comme Ki-you et le régisseur restaient silencieux, le juge reprit :

— Enfin... pour votre malheur j'ai été contraint

de demander l'hospitalité ici hier soir. J'ai découvert le meurtre et vous ai dénichée, Mademoiselle Min, dans votre cachette. Mais vous êtes intelligente, je l'ai déjà dit et je le répète. Vous avez essayé de me faire croire une histoire plutôt vraisemblable. Si j'y avais cru, vous auriez maintenant « découvert » l'or, la rançon aurait été versée et tout serait rentré dans l'ordre. Vous vous étiez débarrassée d'Aster, et un jour ou l'autre vous auriez trouvé un nouveau moyen de vous enfuir tous les deux et de mettre la main sur le domaine des Min.

Un sinistre grondement retentit au pied du mur d'enceinte. Le bélier était roulé sur le sol inégal vers le portail de la ferme fortifiée.

Ki-you fixa de grands yeux brillants et farouche sur le juge.

« Le cœur avide », se dit-il en contemplant son visage blême et décomposé.

— Vous avez tout gâché ! hurla-t-elle soudain comme une furie, sale chien de fonctionnaire ! Mais je ne vous dirai pas où j'ai caché l'or. Comme cela, nous allons tous mourir, et vous avec !

— Ne sois pas stupide ! s'écria le régisseur qui venait d'apercevoir avec horreur un nouveau groupe de cavaliers qui descendaient la montagne au galop en brandissant leurs épées. Pour l'amour du ciel, tu dois nous dire où est l'or ! Tu ne peux pas me laisser massacrer par ces monstres ! Tu m'aimes !

— Pour qu'ensuite tu rejettes toute la faute sur moi, hein ? Pas question, mon ami ! Nous allons tous mourir ensemble, prendre le même chemin que ta petite catin, ta chère Aster !

— Aster... elle... balbutia Yen. Quel imbécile ai-je été de ne pas être resté avec elle ! Elle m'aimait et ne demandait rien en retour ! Je ne voulais pas sa mort, mais toi, tu as dit qu'il fallait qu'elle disparaisse, pour notre propre sécurité. Et moi, pauvre imbécile, je t'ai choisie, toi et ton argent, toi, laide et méchante, avec ta grosse tête !

Comme Ki-you chancelait, le régisseur poursuivit d'un ton provocant :

— Quelle superbe femme c'était ! Imagine, j'aurais pu tenir tous les soirs ce corps parfait et palpitant entre mes bras ! Au lieu de cela, j'ai fait l'amour avec ce misérable sac d'os, me suis prêté à tes sales petits jeux ! Je te déteste, je...

Un cri déchirant s'éleva derrière le juge. Il se retourna, mais il était trop tard. Ki-you s'était jetée de la balustrade.

— Nous sommes perdus ! s'écria Yen. Nous ne pouvons plus retrouver l'or à présent ! Elle ne m'a pas dit où...

Il se tut brusquement, regardant par-dessus la balustrade, muet d'horreur. Un des bandits avait sauté à bas de son cheval et s'approchait de la jeune morte qui gisait sur les rochers, le cou brisé. Le bandit se pencha sur elle et lui arracha ses boucles d'oreilles. Puis il lui fouilla les manches et se releva les mains vides. Poussant un cri de rage, il brandit son épée et lui ouvrit sauvagement le ventre.

Le régisseur se retourna avec un violent haut-le-cœur. Les mains crispées sur l'estomac, il se mit à vomir. L'attrapant par le bras, le juge le secoua sans ménagement.

— Parle ! lui cria-t-il. Avoue comment tu as assassiné la femme que tu aimais !

— Je ne l'ai pas assassinée ! hoqueta le régisseur. Elle a dit qu'Aster l'avait vue prendre l'or et qu'elle devait donc mourir. Ce monstre m'a donné un petit poignard en me disant que c'était à moi de le faire.

« *Je la saisis par les épaules*
et lui criai d'arrêter. »

Mais quand Ki-you s'est trouvée face à Aster qui niait l'avoir espionnée, elle m'a arraché la dague des mains. « Menteuse ! » sifflait-elle entre ses dents en approchant le poignard de sa poitrine. « Déshabille-toi et montre-moi un peu les charmes qui ont ensorcelé mon amant ! » Quand la malheureuse, affolée, se fut dévêtue, Ki-you la fit mettre debout contre le montant du lit, les bras en l'air. Aster grelottait de froid, mais elle se figea de peur lorsque cette diabolique créature commença à lui toucher les seins et tout le corps avec le plat de la lame, en proférant sans cesse des obscénités et toutes sortes d'horreurs. Aster gémissait de terreur, essayant vainement d'échapper à la lame, mais le monstre infâme la piquait avec sa dague tout en la menaçant de supplices atroces et répugnants. Et moi, j'étais là, impuissant, mort de peur à l'idée que dans sa démence elle ne blesse ou mutile cette pauvre fille. Enfin, lorsque Ki-you laissa retomber un instant son poignard, je la saisis par les épaules et lui criai de s'arrêter. Elle m'a jeté un regard méprisant et a ordonné à la fille tremblante de se retourner. Cherchant délicatement de la main gauche le bord de l'omoplate, elle lui a plongé la dague dans le dos.

« Je chancelai en arrière, cherchant à me retenir au mur. Abasourdi, je la regardai allonger Aster par terre, étancher soigneusement le sang de sa blessure, sans cesser de fredonner un petit air horripilant. Après l'avoir pansée, elle fit un ballot de ses vêtements et lui passa une de ses robes blanches. Elle me demanda alors de l'aider à la mettre sur le lit. Elle noua la ceinture avec autant de calme qu'elle l'aurait fait pour la sienne propre, devant sa table de toilette. C'était... c'était monstrueux !

Yen s'enfouit la tête dans les mains. Lorsqu'il

171

releva les yeux, il demanda en s'efforçant désespérément de contrôler sa voix :

— Comment nous avez-vous découverts ?

— C'est le vieux propriétaire qui m'a mis sans le vouloir sur la bonne voie, en insistant pour que j'occupe la chambre de sa fille. Il l'adorait, mais il savait également que le souci obsédant qu'elle avait de sa santé lui avait perverti l'esprit. Il se doutait que quelque acte diabolique n'était pas sans rapport avec sa mort. Lorsque j'ai discuté avec elle tout à l'heure dans sa chambre, elle était parfaitement maîtresse d'elle-même. Mais la passion est une chose redoutable. Une réflexion bienveillante envers Aster ou quelques critiques à votre encontre ont suffi à la faire se trahir. Quant à vous, Monsieur Yen, vous êtes beaucoup moins bon comédien qu'elle. La peur de la mort s'est emparé de tous dans cette maison, sauf de vous-même. Vous ne m'avez pourtant nullement fait l'effet d'être courageux. Au contraire, je vous ai considéré comme un lâche — à juste titre, comme vous venez de le prouver. Pourtant, vous parliez de façon presque désinvolte du sort qui vous attendait. Et ce parce que vous ne pensiez aucunement à la mort, mais bien plutôt à la vie, la vie facile et agréable que vous alliez mener grâce à l'héritage de votre maîtresse. Et c'est le nœud compliqué de la ceinture d'Aster qui pour moi a dénoué l'affaire, si je puis dire. Car seule une femme avait pu en faire un pareil. Ki-you l'a fait si spontanément qu'elle ne s'est pas doutée qu'elle laissait ainsi un indice l'accusant directement.

Le régisseur regarda le juge, médusé.

— Bon, reprit le magistrat. Je crois que tout ce que vous m'avez dit est vrai. Ki-you était effectivement la principale coupable, et vous n'étiez que sa créature. Mais vous êtes complice d'un crime infâme et vous périrez pour cela sur l'échafaud.

— Sur l'échafaud ! ricana nerveusement Yen.

Son rire saccadé se mêla progressivement aux coups sourds frappés contre le portail.

— Ecoutez, espèce d'idiot ! Les Tigres volants enfoncent la porte !

Le juge tendit l'oreille. Tout à coup, les coups s'interrompirent, faisant place à un silence de mort. Puis des hurlements et des jurons retentirent soudain, et le juge se pencha par-dessus la balustrade.

— Regardez ! s'écria-t-il à Yen. Regardez-les courir !

Les bandits avaient abandonné leur bélier. Les cavaliers cravachaient sauvagement leurs montures, suivis par le reste de la bande qui courait aussi vite que possible en direction de la montagne.

— Pourquoi... pourquoi s'enfuient-ils ? bégaya le régisseur interloqué.

Le juge se retourna et montra du doigt le fleuve. Une grande jonque de guerre s'approchait du rivage. Les longues rames battaient les flots à un rythme soutenu. Des bannières de toutes les couleurs flottaient au bout des hallebardes et des casques pointus des soldats qui se pressaient sur le pont. En poupe, de nombreux chevaux caparaçonnés étaient attachés les uns contre les autres. Derrière la jonque en arrivait une seconde, légèrement plus petite, au pont chargé de rondins et de rouleaux de cordages. Des hommes en vestes de cuir et bonnets bruns s'affairaient à monter des roues aux chariots.

— J'ai envoyé hier soir une lettre au commandant du fort, expliqua calmement le juge Ti, pour l'informer de la présence des Tigres volants et lui réclamer un régiment de cavalerie ainsi qu'un détachement de sapeurs. Pendant que les soldats encercleront les bandits, les sapeurs répareront la passerelle au-dessus de la brèche pour permettre à mon escorte de venir me rejoindre. Entre-temps, je réglerai ici cette affaire de meurtre. J'espère pouvoir repartir vers midi. Car j'ai ordre de rejoindre la capitale dans les plus brefs délais.

Le régisseur regardait d'un air incrédule les jonques qui approchaient.

— Comment avez-vous réussi à faire parvenir cette lettre jusqu'au fort ? demanda-t-il d'une voix rauque.

— J'ai organisé mes propres Tigres volants, répliqua sèchement le juge. J'ai écrit près d'une douzaine de lettres identiques que j'ai scellées et remises à l'un des jeunes garçons que j'avais vus en train de jouer avec des cerfs-volants dans l'après-midi. Je lui ai demandé de les attacher toutes à ses cerfs-volants. Il devait les faire s'envoler les uns après les autres. Dès qu'ils se seraient élevés dans le ciel, il devait en couper la ficelle. Avec le vent du nord qui soufflait régulièrement, j'espérais bien qu'un ou deux de ces cerfs-volants bariolés atteindraient le village, sur la rive opposée, seraient découverts et apportés au commandant du fort. Et c'est ce qui s'est passé. C'en est fini des Tigres volants, Monsieur Yen ; et de vous également.

Le juge Ti est un personnage historique qui a réellement existé. Il est né sous la dynastie des T'ang, en 630 après J.-C. et mourut en 700.

Sa biographie conservée dans les Annales de la dynastie T'ang atteste que durant la première moitié de sa longue et brillante carrière, il exerça la fonction de magistrat dans différentes provinces de l'Empire fleuri et résolut un nombre considérable d'affaires criminelles délicates. C'est ainsi qu'il acquit depuis lors en Chine la réputation d'être l'un des plus brillants « détectives » des premiers temps. On reconnaît également en lui un grand homme d'Etat, car dans la seconde moitié de sa carrière, après avoir été nommé à un poste éminent à la capitale, il joua un rôle important dans les affaires intérieures et extérieures de l'Empire T'ang. Ce sont des faits historiques avérés. En revanche, les deux récits de cet ouvrage sont entièrement fictifs, et les villes mentionnées, Han-yuan, Pei-tcheou, etc., n'existent pas en réalité.

En Chine, l'astronomie remonte à la plus haute antiquité. On croyait également que les étoiles avaient une influence sur la vie et le destin des hommes. On trouvera en page de garde une carte du zodiaque chinois, ainsi que l'explication des cycles sexagésimaux. Les douze signes du zodiaque y sont disposés autour des deux principes vitaux, le *yin* (le négatif, le féminin, l'obscurité) et le *yang* (le positif, le masculin, la lumière) et les huit trigrammes, *pakoua*. Le demi-cercle du centre symbolise l'interaction perpétuelle des deux principes *yin* et *yang* (voir l'explication en page 70 de mon roman, *le Monastère hanté*, coll. 10/18, n° 1633). Les huit trigrammes représentent les huit combinaisons possibles d'une ligne *yin* brisée et d'une ligne *yang* continue ; ces trigrammes constituent la base de l'antique *Livre des Mutations* (voir *The I Ching or Book of Changes*, traduit par Richard Wilhelm, avec une introduction de C. G. Jung, Londres, 1950).

Selon l'astrologie chinoise, le caractère et la vie d'un individu sont analysés sur la base du signe cyclique sous lequel il est né, et autrefois aucun mariage ne se concluait avant qu'un examen comparatif des signes cycliques de l'année, de la date et de l'heure de naissance de chacun des partenaires n'ait assuré que le couple était bien assorti.

Le juge Ti est né en 630, autrement dit en l'an VII-3, année du Tigre, appartenant à l'élément métal et placé sous l'influence de la planète Vénus. La date et l'heure de sa naissance n'ont pas été enregistrées.

En ce qui concerne le luth à sept cordes (dont la forme rappelle celle du psaltérion) mentionné dans la seconde nouvelle, il faut savoir que les Chinois le considéraient comme l'expression la plus élevée de l'art musical classique, purement chinois ; il produit une musique douce et raffinée, entièrement différente de celle, par exemple, du théâtre chinois postérieur, grandement influencé par la musique de l'Asie centrale. En Chine, les bons luths anciens, *Kou-ch'in,* sont aussi prisés que nos Stradivarius européens, et là encore le secret des timbres excellents réside dans la qualité des vernis de la caisse de résonance. Les connaisseurs datent l'époque de fabrication d'un luth ancien à la forme des petites craquelures du vernis qui apparaissent au cours des ans sur la laque. Les lecteurs intéressés par ce sujet passionnant pourront se reporter à mon ouvrage *The Lore of the Chinese Lute,* Monumenta Nipponica Monographs, Sophia University, Tokyo, 1940.

Robert VAN GULIK

CHRONOLOGIE
DES ENQUÊTES DU JUGE TI
DANS LES ROMANS
DE ROBERT VAN GULIK

Le juge Ti est né en 630 à Tai-yuan, dans la province du Chan-si. Il y passe avec succès les examens littéraires provinciaux.

En 650, il accompagne son père à Tch'ang-ngan — alors la capitale de l'Empire chinois — et y passe avec succès les examens littéraires supérieurs. Il prend pour femmes une Première Epouse et une Seconde Epouse, et travaille comme secrétaire aux Archives Impériales.

En 663, il est nommé Magistrat et affecté au poste de Peng-lai. Les affaires criminelles qu'il débrouille alors sont contées dans les ouvrages suivants :

The Chinese Gold Murders, Trafic d'or sous les T'ang (coll. 10/18, n° 1619.)
* Five Auspicious Clouds.
* The Red Tape Murder.
* He came with the Rain.
The Lacquer Screen, le Paravent de laque (coll. 10/18, n° 1620).

En 666, il est nommé à Han-yuan :

The Chinese Lake Murders, Meurtre sur un bateau-de-fleurs (coll. 10/18, n° 1632).

** *The Morning of The Monkey*, dans *le Singe et le Tigre*.

The Haunted Monastery, le Monastère hanté (coll. 10/18, n° 1633).

* *The Murder on The Lotus Pond*.

En 668, il est nommé à Pou-yang :

The Chinese Bell Murders, le Squelette sous cloche (coll. 10/18, n° 1621).

* *The Two Beggars*.

* *The Wrong Sword*.

The Red Pavilion, le Pavillon rouge (coll. 10/18, n° 1579).

The Emperor's Pearl, la Perle de l'Empereur (coll. 10/18, n° 1580).

Necklace and Calabash, le Collier de la Princesse (coll. 10/18, n° 1688).

Poets and Murder, Assassins et poètes (coll. 10/18, n° 1715).

En 670, il est nommé à Lan-fang :

The Chinese Maze Murders, le Mystère du labyrinthe (coll. 10/18, n° 1673).

The Phantom of The Temple, le Fantôme du Temple (coll. 10/18, n° 1741).

* *The Coffin of The Emperor*.

* *Murder on New Year's Eve*.

En 676, il est nommé à Pei-tcheou :

The Chinese Nail Murders, l'Enigme du clou chinois (coll. 10/18, n° 1723).

** *The Night of The Tiger*, dans *le Singe et le Tigre*. En 677, il devient président de la Cour Métropolitaine de Justice et réside dans la Capitale :

The Willow Pattern, le Motif du saule (coll. 10/18, n° 1591).

Murder in Canton, Meurtre à Canton (coll. 10/18, n° 1558).

Il meurt en 700, âgé de soixante-dix ans.

Les huit titres précédés d'un * sont les récits réunis sous le nom de *Judge Dee at Work,* et les deux précédés de ** ceux qui composent *The Monkey and The Tiger.*

Le lieu et la date de sa naissance ainsi que ceux de sa mort sont réels, les autres ont été inventés par Robert Van Gulik.

Note de l'éditeur : les dernières aventures inédites du Juge Ti seront publiées par 10/18 en 1986.

TABLE DES ILLUSTRATIONS

LE MATIN DU SINGE

Le juge Ti vit que le gibbon l'observait 15
« Je n'en ai pas encore terminé avec vous,
Monsieur Leng ! » 42
« C'est une affaire privée », dit Tao Gan 50
« Je n'ai rien fait de mal », dit-elle......... 69

LA NUIT DU TIGRE

Le juge Ti para le coup de lance avec son
épée 99
Il pinça les cordes de soie les unes après les
autres 144
Le juge eut soudain l'impression qu'il n'était
pas seul 150
« Je la saisis par les épaules et lui criai
d'arrêter » 170

Croquis de la région inondée en page 109

TABLE

Le Matin du Singe 11
La Nuit du Tigre 93
Postface 175
Chronologie des enquêtes du juge Ti dans les
romans de Van Gulik 179

*Achevé d'imprimer en février 1986
sur les presses de l'Imprimerie Bussière
à Saint-Amand (Cher)*

— N° d'édit. 1651. — N° d'imp. 110. —
Dépôt légal : février 1986.

Imprimé en France